D0708200

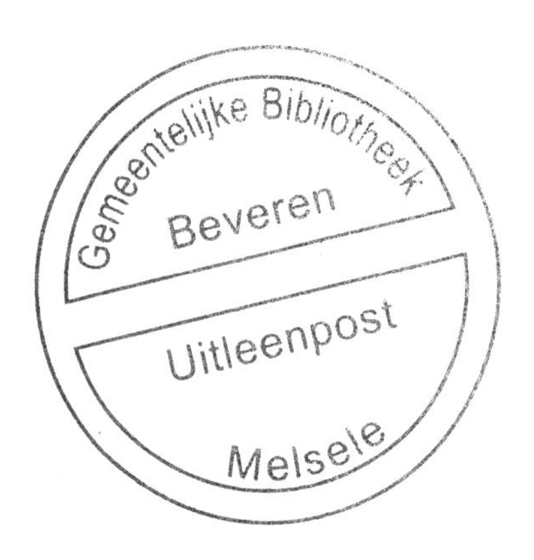
Gemeentelijke Bibliotheek
Beveren
Uitleenpost
Melsele

HET VERBOND

Olga van der Meer

Het verbond

Eerste druk in deze uitvoering 2003

NUR 344
ISBN 90.205.2666.9

Omslagillustratie: S. Caldwell
Omslagontwerp: Van Soelen, Zwaag

HOOFDSTUK 1

Zoals iedere morgen was het nu ook weer druk in het zaaltje waar de peuterspeelochtenden plaatsvonden. Een stuk of twaalf kinderen renden door elkaar heen, enkele moeders stonden in een groepje te praten en één van de leidsters probeerde tevergeefs een luid krijsend kind te troosten.
„Ik wil mama! Mama!" gilde het meisje wanhopig.
„Ik ben blij dat Tina nooit zo'n kabaal heeft gemaakt," zei Carrie Alberts. Ze keek met een liefkozende blik naar haar driejarige dochter.
Hannie van Dijk, kortweg Han, een naam die veel beter bij haar paste, haalde haar schouders op. „Het hoort erbij," vond ze onverschillig. „Trouwens Car, zou jij Mirjam straks een uurtje op kunnen vangen? Karin moet naar het ziekenhuis en ik kon onmogelijk vrij krijgen vandaag. Ze komt Mirjam dan bij jou halen als ze klaar is."
„Natuurlijk, je weet dat dat altijd goed is."
„Ik had er ook op gerekend," bekende Han schaamteloos.
„Makkelijk hè?" grijnsde Monica Martins. „Dat is het voordeel van alleenstaande moeders onder elkaar, ze hebben allemaal dezelfde problemen en staan daarom meestal voor elkaar klaar. We zouden eigenlijk een soort verbond op moeten richten. Het Verbond van de Vrije Vrouwen of zoiets."
„Zeg, dat is helemaal geen gek idee." Han keek Monica nadenkend aan. „Ik ben erg aan mijn vrijheid en zelfstandigheid gehecht, maar een groepje vrouwen die elkaar bij praktische en emotionele zaken steunen, zie ik wel zitten."
„Altijd handig, ja. Laten we Stella Jonkman er dan ook bij vragen, die is ook alleen," zei Carrie. „En dan klopt de alliteratie beter. Vier Vrije Vrouwen." Ze grinnikte.
„Maar ik meen het. Jullie weten net zo goed als ik dat een alleenstaande ouder het moeilijker heeft dan twee ouders in een gemiddeld gezin. Je kunt je taak nooit eens overgeven als je het even niet ziet zitten. Met een vast clubje kun je dat makkelijker eens voor elkaar opvangen."
„Ik bedoelde het als een grap, maar je hebt volkomen gelijk," stemde Monica in. „Laten we het doen! Weet je wat? Vanavond,

bij mij thuis, de eerste vergadering en officiële oprichting van ons verbond!"
De anderen stemden hier meteen mee in en Carrie beloofde om Stella in te lichten.
Een beetje onwennig zaten ze die avond tegenover elkaar. Nu viel het eigenlijk pas goed op dat ze maar heel weinig van elkaar wisten en buiten de peuterspeelzaal om bijna nooit contact met elkaar hadden.
„Nou, daar zitten we dan. Rare situatie eigenlijk." Han vertolkte ieders gedachten met die woorden. „Het is misschien ook een beetje impulsief besloten vanmorgen, maar ik vind het nog steeds een goed plan."
„Ik ook," viel Stella Jonkman haar meteen bij. „Toen Eric overleed ben ik veel van onze gezamenlijke vrienden kwijtgeraakt en ik mis wel eens iemand om op terug te vallen." Er kwam een verdrietige trek op haar gezicht. Er hing trouwens altijd een waas van verdriet en treurnis om Stella heen. Het was duidelijk dat ze de dood van haar man nog niet verwerkt had.
„Is het kort geleden gebeurd?" vroeg Monica meelevend, terwijl ze met koffie rondging.
„Drie jaar. Hij heeft kleine Eric nooit gezien..." Even bleef het stil, toen vervolgde ze heftig: „Ik weet dat ik het verleden los moet laten en vooruit moet kijken, maar het is zo moeilijk. Eric was zo'n lieve man. Echt de ideale echtgenoot, al zegt iedereen dat die niet bestaan. Veel mensen vinden dat ik veel te lang om hem rouw en dat ik hem maar eens moet vergeten, maar hoe kan dat? Ik zie hem elke dag terug in de kinderen. Vooral Stefan gaat steeds meer op hem lijken."
„Iemand waar je van gehouden hebt, kun je nooit vergeten." Monica sprak deze woorden beslist uit, alsof ze er ervaring mee had.
„Jij bent toch gescheiden?" Han vroeg het aarzelend, duidelijk niet zeker van het feit of ze goed ingelicht was.
„Inderdaad. Koos was, en is nog steeds trouwens, een enorme egoïst en ik zou nooit meer met hem samen kunnen leven. Maar eens heb ik van hem gehouden en dat is niet meer uit te vlakken. Bovendien is hij de vader van Chantal. Wil iemand nog koffie?" Hiermee gaf Monica duidelijk aan dat haar huwelijk als

gespreksonderwerp afgedaan had en de anderen respecteerden dat.
„Ik ben ook gescheiden," zei Carrie nu zacht. Ze roerde afwezig in haar kopje. „Maar onze scheiding heeft niet echt een duidelijke oorzaak. Het ging gewoon niet meer, we groeiden uit elkaar en konden niet meer behoorlijk praten."
„Noem dat maar geen duidelijke oorzaak," kwam Han ertussen. „Volgens mij is de liefde duidelijk over als communicatie niet meer mogelijk is."
„Maar we hebben drie kinderen. Remco van acht, Tina van drie en Basje, een baby nog. Hij is pas zes maanden."
„Aha, dus dát ging wel. Ach ja, tijdens een goede vrijpartij zijn woorden niet nodig." Dat was Han weer, zij was de flapuit van de vier.
Buiten dat was ze altijd zeer levendig en ze barstte van het zelfvertrouwen. Han was hét voorbeeld van de vrouw zoals die tegenwoordig volgens de media moest zijn. Goed figuur, aantrekkelijk gezicht, zelfbewust, charmant en zelfstandig. Ze had in vrij korte tijd carrière gemaakt en studeerde nog steeds in de avonduren, als Mirjam sliep. Haar weekeinden en vakanties besteedde ze aan haar dochtertje en die twee tegenstellingen in haar leven bevielen haar prima.
Carrie was haar tegenpool. Zij was huisvrouw in hart en nieren en al haar zorg, tijd en aandacht was voor de kinderen. Een vaste baan had haar nooit aangelokt, zeker niet toen al snel na haar huwelijk het eerste kind zich aankondigde.
Monica werkte wel hele dagen, maar streefde niet echt een carrière na. Ze werkte in een supermarkt en droomde ervan om ooit een eigen winkeltje te beginnen. Deze baan was pure noodzaak voor haar om de kost te verdienen. Ze weigerde haar hand op te houden bij de bijstand zolang het niet nodig was.
Stella werkte parttime als administratief medewerkster via een uitzendbureau. Haar belangrijkste motief was dat ze af en toe haar huis wilde ontvluchten, omdat ze anders gek zou worden van het piekeren. Het grootste voordeel van dit werk vond ze dat ze haar eigen tijden bepaalde. Als ze geen zin had, nam ze geen nieuwe klus aan, simpel.
„Nu jouw verhaal, Han," hervatte Monica het gesprek.

„Sorry hoor, maar ik heb weinig te vertellen. Verwacht van mij geen dramatische verhalen of tranen. Ik ben een bewust ongehuwde moeder en dat bevalt me uitstekend. Wat niet wegneemt dat ik er ook de nadelen wel van inzie, maar die zitten aan een huwelijk ook vast."

„Niet als het huwelijk goed is," zei Stella zacht. „Eric en ik hadden nooit problemen samen."

„Dat vind ik heel fijn voor jou, maar dat zou ik bij geen enkele man voor elkaar krijgen. Ik zie er ook totaal het nut niet van in om me voor altijd aan een man vast te nagelen, maar dat is mijn persoonlijke mening. Ik heb een hekel aan mannen en ben blij dat mijn kind een dochter is en geen zoon."

„Waar overigens wel een man voor nodig was," merkte Carrie op.

„Nou en?" Han stak met een bestudeerd gebaar een sigaret op en inhaleerde diep. „Ik heb een hekel aan mannen, maar ben gek op seks."

Deze opmerking brak de spanning die de hele tijd aanwezig was geweest. Als giechelende schoolmeisjes gingen ze erop in. Han bekeek die verandering met een tevreden gevoel. Zo, dat was gelukt. Als ze met elkaar konden lachen, zou de rest ook wel in orde komen. Zij zag hun verbond in ieder geval wel zitten en ze was blij dat door haar toedoen het ijs was gebroken.

„Ik vind dat we ons verbond officieel moeten bevestigen en wat past daar beter bij dan alcohol." Han pakte een fles witte wijn uit haar tas en Monica haastte zich om glazen te pakken.

„Eén klein glaasje dan," zei Carrie voorzichtig. „Ik hou eigenlijk niet van sterke drank."

„Die benaming is te veel eer voor een simpel wijntje, maar zelf was ik ook niet van plan om meer te nemen. Ik moet nog rijden en het is wel de bedoeling dat jullie heelhuids thuiskomen."

„O, breng je ons thuis?"

„Natuurlijk," antwoordde Han vanzelfsprekend. „We sluiten toch niet voor niets een verbond?" Ze hief haar inmiddels volgeschonken glas omhoog. „Hierbij open ik het Verbond Van Vier Vrije Vrouwen. Voortaan zullen wij allemaal voor elkaar klaarstaan, bij praktische en emotionele problemen, dag en nacht. Meiden, proost!"

Ze drong het glas in één teug leeg en de rest volgde haar voorbeeld, zelfs Carrie. Het was een ritueel, een bevestiging van hun afspraak. Een afspraak die het begin vormde van een hechte vriendschap tussen vier totaal verschillende vrouwen, die slechts twee dingen gemeen hadden: ze waren allemaal moeder en ze hadden geen partner. Verder hadden ze hun eigen verhaal, hun eigen verleden...

HOOFDSTUK 2

Vier jaar eerder

„Gefeliciteerd, u bent zwanger. Ongeveer twee maanden, schat ik. Om de precieze tijdsduur vast te stellen lijkt een echo me wel nodig, maar dat kunt u met de verloskundige bespreken. Heeft u een voorkeur voor iemand?"
„Nee, natuurlijk niet, hier was ik niet op voorbereid. Zwanger?" Het duurde nog even voor de woorden van de huisarts goed tot Monica doordrongen. „Hoe kan dat? Ik gebruik de pil."
„Tja, zelfs die is niet voor de volle honderd procent veilig, dat blijkt wel weer. Mogelijk bent u hem een keer vergeten." Dokter van Vliet bekeek zijn patiënte aandachtig. „Bent u er niet blij mee?"
„Nee, ja, ik weet het niet. Het overvalt me," zei Monica eerlijk. „Zwanger… Dat betekent een baby."
„Meestal wel, ja." Van Vliet glimlachte. Dit zat wel goed, ondanks het onverwachte van zijn diagnose. Hij moest zich wel sterk vergissen als deze vrouw over zeven maanden geen stralende moeder zou zijn. En zijn mensenkennis liet hem zelden in de steek.
„Wen maar rustig aan het idee," zei hij hartelijk. „En mochten er problemen ontstaan, dan kunt u altijd bij me terecht om erover te praten."
Met een vreemd, onwezenlijk gevoel liep Monica even later op straat. Ze kreeg een baby! De ware betekenis drong nu pas echt tot haar door. Ze was niet langer alleen maar Monica, binnenin haar leefde nog een mensje. Voorlopig onzichtbaar, maar duidelijk aanwezig.
Wat zou Koos ervan zeggen? Gek genoeg realiseerde Monica zich ineens dat Koos en zij nog nooit over kinderen gesproken hadden, al waren ze bijna twee jaar getrouwd. Ze had er ook nog nooit serieus over nagedacht, dat was iets voor later. Dat later was ineens met sprongen dichterbij gekomen, maar Monica had maar een paar minuten nodig om zich daarmee te verzoenen. En met Koos zou het ook zo gaan, daar was ze zeker van. Tenslotte hielden ze van elkaar en een kind zou hun relatie bezegelen, hun leven verdiepen.

Monica besloot om Koos niet op zijn werk te bellen, maar te wachten tot hij thuiskwam. Een telefoon was zo onpersoonlijk, zo klinisch, niet geschikt om dit grote nieuws, wat zo onverwachts in hun leven gekomen was, door te vertellen.
Ze wachtte hem die avond op met een feestelijk gedekte tafel, maar hij had nauwelijks oog voor deze entourage.
„Kijk eens wat ik heb." Hij hield een stapel boeken en folders omhoog. „Reisgidsen voor komende zomer. Nog wel een beetje vroeg, maar dan hebben we ruim de tijd om te bespreken wat het wordt. Aruba, Turkije, je zegt het maar." Koos wreef tevreden in zijn handen. Hij had echt zin in een verre, zonnige en avontuurlijke vakantie, al lag die dag nog een maand of zes in het verschiet.
„We kunnen dit jaar niet weg," zei Monica echter kalm. Met een verwachtingsvolle blik keek ze naar haar echtgenoot op. „Ik ben zwanger. In de zomer hebben we een kind, Koos. Stel je eens voor… Het is jammer van de vakantie, maar we krijgen er zoiets moois voor terug. En…"
„Wacht eens even! Een kind? Hoe kan dat nou, je slikt de pil!"
„Volgens de dokter is zelfs die niet helemaal veilig. En af en toe vergeet ik hem wel eens. Maar…"
„Dat is dan knap stom van je," onderbrak hij haar voor de tweede keer ruw. „Monica, dit kan niet. Ik wil helemaal geen kind."
„Ik weet dat het nog niet gepland was, maar als je eenmaal aan de gedachte gewend bent, vind je het vast net zo leuk als ik." Ze liep naar hem toe, sloeg haar armen om zijn hals en legde haar hoofd op zijn borst.
Nijdig duwde hij haar weg. „Je snapt het niet. Het is geen kwestie van nu of later. Ik wil helemaal geen kinderen. Nooit!"
Tijdens het praten keek hij stug uit het raam, zag daardoor niet de blik in haar ogen veranderen. Als verdoofd bleef ze midden in de kamer staan, niet bij machte om een woord uit te brengen. Toen de diepe, bijna tastbare, stilte bleef voortduren, draaide hij zich om en nam haar weer in zijn armen.
„Liefje, je begrijpt toch wel dat dit al onze plannen in de war gooit? De reizen die we willen maken, onze droom om een huisje buiten te kopen, al onze mooie plannen. Die kunnen we toch niet ineens opgeven voor een huilende baby?"

„Niet alle baby's huilen." Het was een antwoord dat nergens op sloeg, maar het waren de enige woorden die Monica te binnen schoten. Onbewust was het een poging tot verweer, echter één die weinig indruk maakte.
„Hoe ver is het?"
„Twee maanden."
„Mooi, dat is in ieder geval op tijd om er iets aan te doen. Maak nu gelijk morgen een afspraak, dan is het maar zo snel mogelijk achter de rug en kunnen we het vergeten. Ik ga natuurlijk wel met je mee. Ten slotte is het een probleem van ons samen."
Toen knapte er iets in Monica. Vooral zijn laatste woorden, die nog wel als steun bedoeld waren, werden haar teveel. Als in trance liep ze naar de feestelijk gedekte tafel, pakte één voor één de glazen, borden en schalen vast en liet ze kapot vallen op de plavuizen vloer. Verbijsterd keek Koos naar de ravage die ze aanrichtte, maar iets hield hem tegen om er wat aan te doen. Hij besefte dat hij te ver gegaan was en ook dat hij haar niet meer kon bereiken.
In de honderden scherven die verspreid lagen door de hele kamer, zag Monica haar huwelijk weerspiegeld. Ook dat was in één klap vernietigd, zomaar, zonder enige voorbereiding. Dit stuk gooien van het servies was eigenlijk een symbolisch gebaar voor het beëindigen van hun huwelijk. Ze stopte er pas mee toen ieder breekbaar voorwerp van de tafel verdwenen was.
„Ik ga mijn koffers pakken," zei ze daarna kalm.
Anderhalf uur later verliet ze het huis, voorgoed.
De reactie op deze onverwachte gebeurtenissen kreeg ze niet direct. Ze had tijdelijk onderdak gevonden bij haar zus en die had Monica onmiddellijk ziek gemeld op haar werk, zodat ze even rustig bij kon komen. De eerste dagen was er nog niets aan de hand. Monica voelde voornamelijk woede tegenover Koos, maar op een gegeven moment realiseerde ze zich dat ze een toekomst moest bouwen. Een toekomst voor twee, want haar kind wilde ze niet afstaan. Er brak een moeilijke tijd voor haar aan, zowel op praktisch als op emotioneel gebied. Van Koos hoorde ze niets meer. De scheiding werd door advocaten geregeld.
Na een paar maanden begon er weer een beetje lijn in haar leven

te komen. Ze zocht woonruimte en vond een vrije etage, bestaande uit twee grote kamers, een piepklein keukentje en een douche met toilet. Daar begon Monica haar nieuwe leven als ongetrouwde, werkende moeder. Haar baby, een meisje met de naam Chantal, werd midden in de zomer geboren, op een stralende, warme dag. Ondanks alle problemen die haar komst veroorzaakt hadden, was Monica dolgelukkig met haar.
„Het spijt me dat ik je geen vader kan geven, maar je hebt in ieder geval een moeder. Ik zal alles doen om je een gelukkig leven te geven," fluisterde ze tegen het kleine bundeltje in haar armen.
Na haar bevallingsverlof voelde Monica zich sterker dan ooit en vol goede moed hervatte ze haar werk. Chantal werd overdag toevertrouwd aan de liefdevolle verzorging van Monica's zus Tinie, zelf in het bezit van twee kleine kinderen.
Het leven was in die tijd, zeker het eerste jaar, zwaar voor Monica, ook in financieel opzicht. Maar het werd haar nooit te veel, daar zorgde de zonnige, altijd vrolijke Chantal voor. De liefde die ze voor haar kind voelde, maakte dat Monica nooit spijt kreeg van haar beslissing. Het was goed zo.

Han had als jong meisje al geweten dat een huwelijk niets voor haar was, ondanks het perfecte voorbeeld dat haar ouders haar voorschotelden. Als enig kind tussen twee volwassen mensen die zielsveel van elkaar hielden, voelde ze zich vaak overbodig, hoewel dat zeker de bedoeling niet was. Haar ouders gingen volledig in elkaar op en het was juist dat wat Han zo tegenstond. Buiten hun werk om deden haar ouders niets zonder elkaar en dat werkte benauwend op hun dochter.
„Ik wil zelfstandig zijn, zelf een leven opbouwen. Mijn geluk mag niet in handen liggen van een ander, daar moet ik zelf verantwoordelijk voor zijn," formuleerde ze haar tegenstand.
Haar ouders lachten erom.
„Wacht maar tot je de juiste man tegenkomt. Als je zoveel van iemand houdt als wij doen, dan is er geen keus meer. Dan wil je alleen nog maar bij die persoon zijn."
Maar Han bleef door de jaren heen haar mening trouw. Vriendjes waren er genoeg en ook seksuele relaties ging ze niet uit de weg, maar ze gaf zich nooit totaal over. Zij was degene die in iedere

relatie de touwtjes van het gevoelsleven in handen hield en dat wilde ze zo houden. Zodra ze merkte dat een man meer voor haar ging voelen, verbrak ze de omgang. Ze stond al snel bekend als een harde, iemand zonder gevoelens, maar dat raakte haar niet. Ze ging gewoon haar eigen weg.
Een doorsnee baan lokte haar niet aan en omdat ze altijd al goed was in exacte vakken, volgde ze een opleiding aan de middelbare laboratoriumschool met aansluitend de hogere laboratoriumschool. Daarna, terwijl ze overdag werkte op een kantoor, het enige wat ze kon vinden, volgde ze in de avonduren een cursus chemie en de specialistische opleiding arbeidshygiëne. Met al die papieren, haar heldere verstand en inzicht, plus haar doorzettingsvermogen, vond ze al snel de baan die haar perfect lag: arbeidsinspecteur. Haar specialisme lag in de bedrijven waar mensen werken met stoffen die gevaarlijk kunnen zijn voor de gezondheid, zoals asbest, verf of giftige grond. Het was geen alledaagse baan, maar Han beschouwde zichzelf ook niet als een alledaagse vrouw. Ze voelde zich in ieder geval prima thuis in haar werk en ook haar privé leven gaf weinig problemen. Ze woonde alleen en kon doen en laten wat ze wilde.
Maar rond haar dertigste begon er toch iets te knagen. Een vaag, onbestemd verlangen dat ze jarenlang weggeduwd had, stak nu fel de kop op. Ze wilde een kind. Eerst spotte Han nog met haar eigen gevoelens, probeerde zo een beslissing te vermijden.
„Ja hoor, op mijn dertigste gaan mijn hormonen een rol spelen," zei ze eens. „Precies volgens het boekje en dat terwijl ik mezelf altijd als uniek beschouw, iemand die niet met de horde meeloopt."
Het was geen makkelijke beslissing, maar hij werd wel snel genomen. Zo was Han nu eenmaal. Ze wist precies wat ze wilde, twijfelen was er niet bij. Een goede vriend van haar was bereid om donor te worden, op voorwaarde dat hij zich niet met de opvoeding hoefde te bemoeien en binnen drie maanden wist Han al dat het gelukt was. Ze was in verwachting.
De zwangerschap verliep perfect. Han was een stralende, kerngezonde aanstaande moeder en ze genoot ervan om alle voorbereidingen voor haar baby te treffen. De babykamer werd een juweeltje en alle spullen en kleertjes waren perfect in orde. Han

wilde voor haar kind alleen het beste en met haar salaris was dat geen probleem.
De bevalling verliep moeizaam, maar na zesendertig zware uren hield Han trots haar dochtertje Mirjam in haar armen. Haar leven veranderde, maar zelf ervaarde ze het alleen maar als positief. Ze zocht een oppasmoeder omdat ze dat persoonlijker vond dan een crèche en vond die in de persoon van Karin Mulder. De weekeinden en haar vakanties wijdde Han volledig aan Mirjam, slechts een enkele keer besteedde ze haar dochtertje een paar dagen uit om zelf weer even van haar oude, vrije leventje te proeven.
De komst van Mirjam had Han wat rustiger en stabieler gemaakt. Ze had het gevoel dat haar leven nu compleet was.

In het gezin van Stella en Eric Jonkman werd het bericht van een nieuwe zwangerschap met vreugde begroet.
„O Eric, eindelijk! We krijgen weer een kind!" Uitgelaten viel Stella haar echtgenoot om zijn hals. Hun liefste wens ging hiermee in vervulling, een broertje of zusje voor Stefan, die al ruim drie jaar oud was. Als het aan Stella en Eric had gelegen was hun tweede kind nu al een jaar geweest, maar de natuur laat zich nu eenmaal niet dwingen. Al ruim twee jaar hoopten ze op een zwangerschap, maar iedere maand kwam weer die teleurstelling. Van het begin af aan probeerde Stella om het niet haar leven te laten beheersen. Ze genoot van de kleine Stefan en bleef open staan voor alle goede dingen die het leven haar gaf. Het was haar gelukt, maar op de achtergrond van haar denken en handelen bleef de dreigende angst dat het nooit meer zou gebeuren. Dat ze nooit meer de unieke ervaring zou meemaken van een zwangerschap, een bevalling en een prille, totaal afhankelijke baby. En nu, als beloning voor haar geestelijke inspanningen, was het dan toch zover. Ze kregen weer een kind! Hun blijdschap hierover was niet in woorden uit te drukken.
En die gelukswolk bleef, de hele zwangerschap lang. Ook Stefan werd er door aangestoken. Trots vertelde hij aan iedereen, zelfs aan vreemden op straat, van het komende broertje of zusje. Eric was in die periode erg bezorgd om zijn vrouw, op het overdrevene af zelfs.

's Avonds zorgde hij ervoor dat ze rustig bleef zitten, als het aan hem lag zelfs met een kussen in haar rug en een krukje onder haar voeten. En Stella liet zich deze zorg heerlijk aanleunen, ze koesterde zich in zijn warme liefde en vond het heerlijk dat ook hij zo overduidelijk gelukkig was met deze baby en zich niet schaamde om dat te laten merken. Ze vergeleek hem soms met Stefan en plaagde hem er wel eens mee dat hij het nieuws ook het liefste aan iedereen zou vertellen.
Precies op de uitgerekende dag werd Eric op zijn werk opgeschrikt door een telefoontje van Stella. „De weeën zijn begonnen," meldde ze opgewekt. „Ik heb Stefan bij mijn moeder gebracht en zit nu zelf in het ziekenhuis. Paul was ook bij ma en die heeft me meteen even afgezet. Volgens de verloskundige gaat het heel snel, maar ik voel me goed."
„Ik kom er meteen aan," zei Eric gejaagd. Hij gooide de hoorn weer op de telefoon, pakte zijn autosleutels en sigaretten en haastte zich de afdeling af. In het voorbijgaan riep hij nog even snel naar een collega wat er aan de hand was.
Nerveus stapte Eric in zijn wagen, zijn gedachten meer bij Stella dan bij het verkeer. Té goed herinnerde hij zich nog de zware bevalling van Stefan, de enorme pijn die zijn vrouw toen moest lijden. In zijn ogen dan. Volgens de verloskundige was het een vlotte, ongecompliceerde bevalling geweest en Stella lachte om zijn gevoelens, maar Eric had zich ontzettend machteloos gevoeld toen hij zijn vrouw zo had zien liggen zweten in dat ziekenhuisbed. Haar van pijn vertrokken gezicht bleef hem bij en nu, op weg naar deze bevalling, kwam dat beeld weer levendig op zijn netvlies.
Ik moet snel naar haar toe, haar helpen, dacht hij gejaagd. Hij trapte zijn gaspedaal nog wat dieper in, zag niet de vrachtwagen die van rechts kwam en ook niet bepaald zacht reed. De klap die volgde was oorverdovend, daarna was er die stilte. Een diepe, angstaanjagende stilte...
De bevalling vorderde snel. De ontsluiting stond al op acht centimeter toen er twee politieagenten de kraamafdeling op kwamen lopen en met een ernstig gezicht iets tegen de hoofdverpleegkundige zeiden. Ze schrok er duidelijk van.
„Wat ontzettend," fluisterde ze. „Zijn vrouw kan nu ieder moment

bevallen en dan moet ik haar dit bericht brengen. Was hij op slag dood?"
De oudste agent schudde zijn hoofd.
„Nee, hij kon nog vertellen waar hij heen ging, anders waren wij hier niet zo snel geweest. Wens zijn vrouw maar sterkte van ons. Het zal haar niet helpen, maar toch..." Hij hief even in een machteloos gebaar zijn handen omhoog. Dit waren dingen die bij zijn beroep hoorden, maar hij zou er nooit aan wennen om zo met het menselijk leed geconfronteerd te worden.
De verloskundige en de kraamverpleegsters werden gewaarschuwd en unaniem besloten ze om het pas na de bevalling aan Stella te vertellen.
„Ik verwacht de baby binnen het uur, het geeft geen zin om haar nu op te winden," zei de verloskundige.
Het ging zelfs nog sneller. Stella herinnerde zich nog goed de machteloze angst van Eric, vier jaar geleden en ze werkte hard om haar kind op de wereld te zetten voor Eric zou komen, dan hoefde hij het allemaal niet nog een keer te zien. Een half uur nadat de agenten het onheilsbericht waren komen brengen, werd er een klein, kerngezond jongetje geboren. Stella was dolgelukkig, maar één van de jonge kraamverpleegsters vluchtte de gang op en barstte daar in snikken uit.
„O, ik vind het zo erg, zo erg," huilde ze tegen een aansnellende collega. „Die vrouw ziet er zo blij en gelukkig uit en straks wordt dat haar in één klap afgenomen." Ze realiseerde zich niet dat ze in de kraamkamer woordelijk te verstaan was.
De verloskundige rende ook de gang op, maar het was al te laat. De jonge verpleegster deed net snikkend verslag van het gebeurde en Stella ving haar woorden op.
„Haar man is op weg hierheen verongelukt en nu is hij dood!" Ze begreep onmiddellijk dat het om Eric ging.
„Nee! Nee! Dat kan niet!" Ze gilde het uit. „Niet Eric! Nee!" Daarna zakte ze weg in een diepe duisternis, een poel van rust, van zalig niets weten...
Het ontwaken, een paar uur later, was moeilijk. Haar familie, in allerijl gewaarschuwd, zat om haar bed en bij de eerste aanblik van hun medelijdende en bezorgde gezichten, drong alles weer tot Stella door. Wanhopig greep ze zich aan haar moeder vast en haar

droge, radeloze snikken vulden de ziekenhuiskamer waar ze lag. Paul en Mandy, broer en schoonzus van Stella, en haar vader keken hulpeloos toe hoe haar moeder Stella als een klein kind heen en weer wiegde. Er viel op dat moment niets te zeggen, voor dit leed waren geen troostwoorden en aan lege cliché uitspraken had ze niets. Het duurde een hele tijd voor Stella enigszins kalmeerde en met trillende handen een kop sterke, hete koffie opdronk.

„Waar is mijn kind?” vroeg ze ineens. „Wat hebben ze met de baby gedaan, mam? Ik heb hem amper gezien. Hij is toch wel gezond?” Er klonk alweer paniek in haar stem, maar mevrouw Wessels wist dat onmiddellijk te onderdrukken.

„Ik ga hem meteen halen en maak je niet druk, hij is kerngezond. Hij ligt op de babykamer, maar je mocht hem zien zodra je dat wilde.”

Ze verliet de kamer en kwam even later terug met de baby, die ze voorzichtig bij haar dochter in de armen legde. Stil keek Stella naar het kleine mensje in wie ze nu al de gelijkenis met zijn vader zag.

„Ik noem hem Eric,” zei ze tenslotte zacht. De tranen liepen over haar wangen.

In de tijd die volgde, merkte ze hoe hard het was om te leven zonder de steun en liefde van haar man, hoe zwaar het was om toch een goede moeder te zijn en hoe moeilijk het was om de vragen en het verdriet van Stefan op te vangen. Maar ze moest door, ze kon niet blijven steken in haar verdriet, want de kinderen hadden haar nodig. En ondanks alle steun en hulp die ze van haar familie kreeg, voelde Stella zich ontzettend eenzaam. Met de dood van Eric was ze alle zon in haar leven kwijtgeraakt.

Om haar huis te ontvluchten liet ze zich inschrijven bij een uitzendbureau en ze kreeg regelmatig baantjes op administratief gebied aangeboden. Haar moeder paste dan op de kleine Eric en Stefan ging naar school. Langzaamaan wende ze aan de situatie en werden de scherpe kantjes van het verdriet afgesleten, maar het gemis bleef.

Een jaar na Erics overlijden had Stella een redelijk ritme gevonden en ze functioneerde weer. Maar ze lééfde niet. Al het mooie en goede op deze aarde was voor haar voorbij.

„We moeten het onder ogen zien, Carrie. Verstoppertje spelen heeft geen enkele zin.” Met nerveuze gebaren stak Lex een sigaret op en inhaleerde diep. „Ons huwelijk is voorbij, definitief.”
De woorden bleven dreigend tussen hen in hangen. Het kwam natuurlijk niet onverwacht, maar nu het eindelijk uitgesproken werd, klonk het zo hard. Carrie rilde. Hoe lang was het nu helemaal geleden dat ze elkaar trouw voor het leven beloofden, in voor- en tegenspoed? Pas zes jaar. Jaren die omgevlogen waren en die veel geluk hadden gebracht. Ze hoefde maar naar de kinderen te kijken om zich dat weer voor de geest te halen, maar toch... Het leek allemaal zo zinloos nu.
„Waarom zeg je nu niets? Je bent het toch wel met me eens?”
„Ik dacht aan de kinderen,” antwoordde Carrie hees. „En aan onze trouwdag, zes jaar geleden. O Lex, hoe kan dit nou? We waren zo zeker van onszelf, dat kan toch niet zomaar over zijn? Tina is pas twee maanden en we waren zo gelukkig tijdens de zwangerschap.”
„Ik weet het, maar er is gewoon niets meer van over. Al jouw tijd en aandacht gaat naar Remco en Tina, voor mij blijven er alleen maar kruimeltjes over. We zijn uit elkaar gegroeid, je weet amper meer iets van me. Je bent op en top moeder, maar geen vrouw meer, geen partner.”
„Als jij wat meer tijd aan de kinderen zou besteden, zou ik daar wat ruimte voor krijgen,” zei Carrie koel. „Sorry Lex, maar ik vind dit zinloze verwijten. We hebben van het begin af aan de taken strikt verdeeld. Jij je baan en ik het huishouden en de kinderen. Ieder evenveel werk, dachten we. Jij was het daar ook mee eens, maar nu blijkt dat het zo niet werkt, trek jij je terug. Nee, laat me uitpraten.” Ze hief gebiedend haar hand omhoog toen ze zag dat Lex haar in de rede wilde vallen. „Het hebben van kinderen brengt veel meer werk met zich mee dan we verwacht hadden. Jij komt hier 's avonds om zes uur binnenlopen en dan ben je klaar met je werk. Voor mij begint dan de drukste tijd. Eten klaarmaken, opruimen, afwassen, Tina voeden, Remco wassen en naar bed brengen, voorlezen. Dan kan ik, als het meezit, een uurtje uitrusten, daarna moet Tina weer gevoed en negen van de tien keer moet ik 's nachts mijn bed weer uit. Als wij gaan sla-

pen heb jij een rustige avond gehad en ben je al uitgerust van je werk, maar ik ben doodop. Ik slaap als mijn hoofd het kussen raakt en aan seks kom ik helemaal niet toe, daar heb ik geen puf meer voor."
„Maar Remco zit de hele dag op school en Tina slaapt veel, dus overdag heb je tijd zat om uit te rusten," protesteerde Lex.
„O ja? En het schoonmaken van het huis dan? En de boodschappen? Wassen en strijken? O, laat ook maar, je snapt er geen barst van. Jij denkt nog steeds dat een huis niet vuil wordt en dat de overhemden vanuit de wasmand vanzelf schoon en gestreken weer terug naar de kast wandelen."
Met een vermoeid gebaar streek Carrie langs haar ogen. Lex keek ernaar met iets wat op wroeging begon te lijken. Er zat veel waars in haar woorden, dat moest hij toegeven. Hij was erg makkelijk en laks wat het huishouden betrof. Maar verdorie, het hoefde toch ook niet altijd piekfijn in orde te zijn? Ze was een méns, geen machine.
Hij probeerde zijn gedachten onder woorden te brengen en voor het eerst sinds maanden hadden ze weer eens een echt gesprek met elkaar. Ze spaarden elkaar niet, de verwijten vlogen over en weer, maar ze práátten tenminste. Aan het eind van de avond beloofden ze beiden wat meer rekening met de gevoelens van de ander te houden. Over een scheiding werd niet meer gesproken.
In het begin ging het prima. Ze deden allebei hun best en dat leek vruchten af te werpen, maar langzamerhand zakten ze weer weg in het oude patroon. Ruzie maakten ze niet, maar hun relatie vervlakte meer en meer, net zo lang tot er van wederzijdse interesse geen sprake meer was. Ze woonden in één huis, maar leidden hun eigen leven. Het enige wat hen nog bond waren de kinderen, maar daar kon geen huwelijk op gebouwd worden.
Zo'n twee jaar na dat eerste gesprek begon Lex er weer over, met exact dezelfde woorden als toen.
„We moeten het onder ogen zien, Carrie. Verstoppertje spelen heeft geen zin. Ons huwelijk is voorbij."
Dit maal kon Carrie niets anders doen dan zijn woorden beamen. Maar ook nu kwam er niets van een definitieve scheiding, want een week later vernam Carrie van de huisarts dat ze zwanger was. Ze was er zeer verbaasd over. Hun seksuele relatie was tot

bijna het absolute minimum gedaald, maar zelfs vijf minuten seks per twee maanden kon dus gevolgen hebben. Lex besloot in ieder geval te blijven tot de baby geboren was. Wel liet hij zich vast informeren over huurwoningen en wachttijden en dergelijke, want als het tot een scheiding kwam, kon hij de hoge hypotheek van hun luxe eengezinswoning niet meer opbrengen. Carrie had nooit een baan gehad, ze was vrijwel vanaf de schoolbanken met hem getrouwd en hij wilde haar niet dwingen om nu te gaan werken terwijl ze ook nog de zorg voor drie kinderen had. Het hoefde ook niet, hij verdiende een zeer goed salaris, maar de spoeling werd een stuk dunner als hij er twee huishoudens van moest onderhouden.
De zwangerschap en bevalling van baby Bas verliepen perfect en Carrie genoot van haar drietal. Het was druk, maar ze vond veel voldoening in het verzorgen van haar kinderen en het runnen van het huishouden. Dat had haar altijd al gelegen, als kind al redderde ze urenlang met haar poppenhuishouding.
Toen Bas twee maanden oud was kon ze een huurwoning betrekken. Lex zocht een paar kamers, Carrie ging met de kinderen naar het rijtjeshuis en hun luxe woning werd verkocht. Het verliep allemaal geruisloos en zonder ophef. Lex betaalde een alimentatie waar Carrie redelijk van rond kon komen, al kostte het haar moeite om haar uitgaven aan te passen. Het huis werd gezellig ingericht en ondanks alles voelde Carrie zich helemaal niet ongelukkig. Ze was gewend om alleen voor de kinderen te zorgen, dus dat was niet echt een extra zware belasting. Eigenlijk was ze zelfs een beetje opgelucht dat ze nu geen rekening meer met Lex hoefde te houden. Ze kon nu doen en laten wat ze wilde, zonder een zeurende en verwijten makende echtgenoot op de achtergrond. Alle tijd was nu gewoon voor de kinderen, punt uit. Bovendien waren ze niet met ruzie uit elkaar gegaan, ze wist dat ze op hem kon rekenen als er iets aan de hand was.
Ja, dit was gewoon de beste oplossing. Alle negatieve bijkomende zaken duwde Carrie gewoon weg, die bestonden niet. Zoals het nu was, was het goed.

HOOFDSTUK 3

Automatisch verrichtte Stella haar handelingen. Zo, nog één brief en dan zat haar werk erop. Gelukkig wel. Ze had nu twee maanden achter elkaar bij dit bedrijf gewerkt, vijf dagen per week van 's morgens negen tot 's middags vier en dat was haar niet meegevallen. Het werk op zich vond ze wel leuk, maar als je zo'n tijd op één plek zat, vormde het geen uitdaging meer. En geen afleiding. Meestal deed ze voor het uitzendbureau de kortdurende klussen, van een of twee weken, maar ja, het kon nu eenmaal niet altijd gaan zoals zij het wilde.
Met een zucht controleerde ze de tekst op het beeldscherm voor ze de brief uitprintte. Klaar. Ze leverde het werk in en nam meteen afscheid van haar tijdelijke collega's en haar chef. Nu de personeelschef nog en dan kon ze eindelijk de deur van dit bedrijf achter zich sluiten.
Meneer Hoorndijk schoof onmiddellijk zijn papieren opzij toen Stella zijn kantoor binnenkwam.
„Dit was je laatste dag, jammer. Wil je nog een kopje koffie voor je weggaat?" Hij maakte een gebaar naar het espressoapparaat achter hem en meer uit beleefdheid dan dat ze er trek in had stemde Stella toe. Ze ging zitten, weigerde een aangeboden sigaret en dronk even later voorzichtig van de hete koffie.
„Beviel het je hier nogal?" opende Hoorndijk het gesprek.
„Ach jawel." Stella lachte even. „Dat klinkt niet echt enthousiast, hè? Misschien vindt u het raar, maar het liefst werk ik ergens maar een paar dagen. Dit was me eigenlijk te lang, hoewel ik het hier best wel naar mijn zin had."
„De welbekende angst voor een sleurleven." Er verscheen een lichtelijk geïrriteerde blik in zijn ogen. „Jammer dat je zo'n type bent, want ik wilde je een vaste baan aanbieden. Je werk is perfect in orde."
Stella liet die woorden even op zich inwerken. Een vaste baan, misschien de mogelijkheid om hogerop te komen, carrière te maken. Nee, dat was niets voor haar. Dat zou ze momenteel nog niet aankunnen.
„Het spijt me, maar dat aanbod kan ik niet aannemen," zei ze dan ook.

„Dat had ik al begrepen. Ik zei het al: de sleur. Sommige mensen begrijpen nog steeds niet dat sleur niet in vaste werktijden ligt, dat zit in jezelf. Maar ja, wie ben ik om daar over te oordelen?" Zijn stem klonk nu ronduit sarcastisch.

„Dat kunt u inderdaad niet," zei Stella koel terwijl ze opstond. „Er kunnen ook nog andere, persoonlijke, redenen zijn, maar daar zal ik niet verder over uitweiden. Goedemiddag."

Met slechts een kort knikje verliet Stella de kamer. Eenmaal buiten het gebouw was er weinig meer over van haar fiere houding. „Wat een kwal," mopperde ze zacht voor zich uit. „Eerst al die tijd lief en aardig doen, maar als je dan niet naar zijn pijpen danst krijg je dit. Bah. Waar haalt hij het lef vandaan om zomaar zijn conclusies te trekken?" Een paar voorbijgangers keken verbaasd naar de mompelende, jonge vrouw, maar Stella merkte het niet.

Ze liep het kleine stadsparkje in, ging op een bank zitten en veegde nijdig een paar tranen uit haar ogen. Die vent was gek en zelf leek ze ook wel niet helemaal wijs om erover te gaan janken. Een oneindig triest gevoel nam ineens bezit van haar. Het oordeel van andere mensen bleek toch belangrijker voor haar te zijn dan ze zelf had gedacht. Ze zou er boven moeten staan, maar het raakte haar diep dat een vreemde over haar oordeelde zonder de achtergrond te kennen. Het was niet de angst voor sleur die haar tegenhield, maar de angst tot automatisme. Als ze niet steeds afleiding had, zakte ze weg in verdrietige herinneringen. In tijden dat het goed met haar ging nam ze geen werk aan, dan had ze het niet nodig. Maar steeds als ze weer terug dreigde te zakken ging ze werken. Iedere keer een ander bedrijf, steeds nieuwe bezigheden, andere mensen om haar heen. Dan had ze geen gelegenheid om te piekeren, want dan waren er andere zaken die haar aandacht vroegen.

Wat wist die Hoorndijk van haar eenzaamheid en wanhoop? Niets, helemaal niets.

Bovendien zou ze het niet op kunnen brengen om fulltime te gaan werken met daarnaast de zorg voor de kinderen en het huishouden. Dan moest er andere opvang komen voor de kinderen, die nu verzorgd werden door Stella's moeder. Maar die kon het ook niet goed meer aan. Samen met Eric, met zijn liefdevolle

steun in haar rug, zou ze het aangekund hebben, maar nu kon ze er de moed niet voor opbrengen.
Ach Eric... Waarom toch? De meest gestelde vraag, waar niemand een antwoord op kon geven.
Het duurde nog wel even voor Stella zich hersteld had, maar gek genoeg voelde ze zich toen ook sterker en weerbaarder dan maandenlang het geval was geweest. Ze keek op haar horloge en constateerde dat het nog geen vijf uur was, dus besloot ze meteen naar het uitzendbureau te gaan. Ze nam minstens twee maanden lang helemaal geen klus aan. De kinderen hadden tenslotte ook weer eens recht op haar volledige aandacht, na die drukke periode die achter haar lag. En het kon haar niets schelen wat die meneer Hoorndijk over haar dacht!
Met een kinderlijk gebaar stak ze haar tong uit in de richting waar ze de personeelschef vermoedde en ze negeerde de verschrikte uitroep van twee wandelende, oude mannen.
Aldus gesterkt liep ze naar het uitzendbureau om alles te regelen en daar vandaan naar haar ouderlijk huis om de kinderen op te halen. Kleine Eric kroop meteen enthousiast op haar schoot en overlaadde haar met kusjes en drukke verhalen. Stefan van acht deed wat gematigder. Hij gedroeg zich tegenwoordig steeds meer als een stoere macho, die zijn moeder niet meer nodig had. Maar Stella wist dat het alleen maar uiterlijk vertoon was. Als er 's avonds niemand bij was kon hij soms ineens op haar schoot kruipen en even met haar knuffelen. Ook nu lichtten zijn ogen op toen Stella vertelde dat ze voorlopig weer thuis zou blijven.
„Gelukkig," verzuchtte ook mevrouw Wessels.
Stella keek verschrikt naar haar moeder. „Wat is er? Wordt het te zwaar voor je?" vroeg ze ineens gealarmeerd. „Als dat zo is moet je het eerlijk zeggen, hoor."
„Ach nee, het valt meestal wel mee. Maar deze keer duurde het wel erg lang en Eric is nogal druk, dat weet je zelf ook wel." Het klonk verontschuldigend.
„Als je het niet meer aankunt, dan stop ik helemaal met werken of ik zoek een andere oplossing," sprak Stella beslist. Uit het feit dat het even duurde voor haar moeder protesteerde, maakte Stella op dat het haar inderdaad te veel werd.
„Laat maar, ik stel me aan. Ik ben een beetje grieperig, daar zal

het wel door komen." Mevrouw Wessels' woorden klonken niet echt overtuigend.
„Onzin moeder, het is helemaal geen schande om het toe te geven," zei Stella nogal kortaf.
Ze keek naar het vermoeide gezicht van haar moeder en voelde zich schuldig dat dat haar nooit eerder opgevallen was.
„Stefan zit de hele dag op school, maar Eric heeft alleen maar die twee ochtenden op de peuterzaal. Als hij straks ook op school zit, gaat het vast beter."
„Of niet, dan ben je misschien al afgeknapt. Ik ben je verschrikkelijk dankbaar dat je mij en de kinderen zolang opgevangen hebt, maar het moet niet ten koste van je gezondheid gaan." Ze zette Eric van haar schoot af, liep op haar moeder toe en sloeg spontaan haar armen om haar heen. „Tenslotte moet je nog veel langer mee. Ik heb je nog heel hard nodig."
Mevrouw Wessels veegde tersluiks een traan uit haar ogen. „Maar kind, ik kan jou toch niet zomaar voor het blok zetten?" stribbelde ze nog even tegen. Bij het zien van Stella's vastberaden gezicht gaf ze haar tegenstand echter op. „Je hebt gelijk, ik red het inderdaad niet meer," gaf ze ineens toe. „Je kinderen zijn schatten en ik ben stapelgek op ze, maar vooral Eric wordt me te veel. Hij vraagt de hele dag aandacht. Een spelletje doen met zo'n kind vind ik wel leuk, maar tien spelletjes achter elkaar maken me gek. En je moet hem constant in de gaten houden, want als je even niet oplet, doet hij weer iets wat niet mag."
„Ik weet het. Ik ben ook blij als hij 's avonds in bed ligt en dan ben ik nog dertig jaar jonger dan jij."
„Ik denk dat ik mijn overwicht op kinderen kwijt raak," zuchtte mevrouw Wessels.
Onwillekeurig schoot Stella in de lach. „Lieve schat, dat heb je nog nooit bezeten," plaagde ze. „Pap was degene die ons vroeger opvoedde en jij zorgde voor de gezelligheid. Bij jou kon altijd alles."
„Nog steeds hoor," liet Stefan zich opeens horen vanachter zijn boek. „Van oma mag alles."
De twee vrouwen keken elkaar aan en begonnen te lachen.
„Ik hoor het al, het wordt hoog tijd dat ik mijn kinderen uit deze omgeving weg haal. Ze worden gruwelijk verwend," vond Stella

grinnikend. Ze stond resoluut op en begon haar spullen bij elkaar te rapen. „Kom op jongens, we gaan naar huis. Het is al over halfzeven en we moeten nog eten ook."
Eric en Stefan verdwenen luidruchtig naar de gang om hun jassen en schoenen aan te trekken terwijl Stella haar tas inpakte.
„Kom je nou niet in de problemen?" vroeg haar moeder aarzelend. „Financieel, bedoel ik, als je stopt."
„Nee hoor mam, maak je daar maar geen zorgen over. Eric had een goede levensverzekering. Een gedeelte daarvan heb ik tegen een hoge rente weggezet voor als de jongens later willen studeren, over de rest kan ik vrij beschikken. Daarbij heb ik ook nog mijn weduwepensioen. Geen vetpot, maar alles bij elkaar kan ik er goed van rondkomen. Mijn salaris gebruik ik altijd voor de extra uitgaven. Dagjes uit, verjaardagen en zo. Ik red me wel."
„O, gelukkig. Dat was namelijk één van de redenen dat ik je niets wilde zeggen."
„Dat hoeft echt niet," verzekerde Stella haar nog voor de kinderen weer binnen kwamen. „Kom jongens, zeg oma gedag, dan gaan we."
Stefan hing onmiddellijk om zijn oma's nek. „Mogen we nou nooit meer bij jou?" vroeg hij met een klein stemmetje.
„Ja, natuurlijk wel," reageerde mevrouw Wessels geschrokken. „O lieve schat, je hebt het helemaal verkeerd begrepen. Oma kan niet meer zolang achter elkaar voor jullie zorgen als mama werkt, maar je mag altijd komen wanneer je wilt hoor. Oma houdt heel veel van jullie."
„Dat wist ik wel hoor," zei Stefan alweer stoer voor hij de deur uitstapte.
„Natuurlijk," zei Stella met een glimlach terwijl ze haar moeder een knipoog gaf. „Dag mam, bedankt weer. Kom van de week even langs als Eric op de peuterzaal is, dan kunnen we weer eens bijkletsen."
Omdat het al zo laat was, haalde Stella onderweg een grote zak patat en een paar kroketten. Geheel tegen haar principes in, maar ze vond dat ze wel wat makkelijks verdiend had. Ze moest er niet aan denken om nu nog te moeten koken en omdat ze in haar lunchpauze doorgewerkt had om vroeg thuis te kunnen zijn, had ze ook geen boodschappen gedaan en dus geen brood in huis.

De kinderen genoten van de maaltijd, niet in het minst door de appelmoes die Stella erbij gaf en door de beflote van een ijsje toe.
„Het lijkt wel feest," vond Stefan stralend.
„Dat is het ook een beetje, want mama gaat voorlopig niet meer werken."
Misschien wel nooit meer, dacht ze er wat moedeloos achteraan. Meteen vermande ze zich weer. Nu niet aan denken, er komt best wel een oplossing, hield ze zich voor. Ze weigerde nog aan dit nieuwe probleem te denken voor de kinderen in bed lagen, maar toen dat moment eenmaal aangebroken was, kwam het weer dreigend op haar af. Wat moest ze nu doen? Ze had haar werk af en toe hard nodig, nog steeds. Ze was bang om in een diep, zwart gat te vallen als ze op de moeilijke momenten niet weg kon vluchten in iets anders wat haar aandacht vroeg. Maar andere opvang dan haar moeder had ze niet.
Stella leidde, zeker na Erics dood, een nogal teruggetrokken leven en er waren bijna geen mensen waar ze op terug kon vallen. Maar ze moest er met iemand over praten, anders bleef ze doorpiekeren. Zo goed kende ze zichzelf wel.
Ik bel Han op, dacht ze ineens. Dat kan, dat hebben we tenslotte afgesproken. Ze zal het helemaal niet vreemd vinden dat ik bel om mijn problemen te bespreken, daarvoor hebben we het verbond gesloten.
Een blij gevoel doorstroomde haar toen ze aan haar nieuwe vriendinnen dacht. Ze stond er niet meer alleen voor. Alles, vreugde en verdriet, kon ze tegenwoordig bespreken met andere vrouwen. Vrouwen die voor een groot deel in dezelfde situatie zaten als zijzelf.
Toch een beetje aarzelend, ze was niet gewend andere mensen lastig te vallen, draaide ze Hans nummer.
„Met Han van Dijk," klonk het opgewekt aan de andere kant van de lijn.
„Hoi, met Stella." Het klonk zacht en onzeker.
„Hé Stella, gezellig. Hoe is het met je? Die grote klus zit er nu op, hè?" ratelde Han vrolijk. Ze hoorde aan Stella's stem dat er iets aan de hand was en dit was haar manier om haar op haar gemak te stellen.

Ze praatten eerst wat over koetjes en kalfjes voor Stella eindelijk met haar verhaal op de proppen kwam.
„Je vindt het toch niet erg dat ik je ermee lastig val?" voegde ze er kinderlijk aan toe.
„Natuurlijk niet," zei Han meteen. „Het is logisch dat je er over wilt praten en daar zijn vriendinnen tenslotte voor. Ik ben ondertussen al hard aan het denken voor je. Heb je verder geen familie die op wil passen?"
„Nee. Alleen mijn broer en schoonzus, maar die hebben geen kinderen en werken allebei hele dagen."
„Waarom zet je geen advertentie? Er zijn vrouwen genoeg die op willen passen. Zeker in jouw geval, omdat het af en toe is en ze dus niet altijd vast zitten."
Stella aarzelde even voor ze antwoord gaf. Een vreemde die haar kinderen op zou vangen, was niets voor haar. Daar was ze altijd op tegen geweest, maar ze wist dat Han wel voor deze oplossing gekozen had en ze wilde haar niet kwetsen.
„Ik heb eigenlijk liever iemand die ik ken en vertrouw," zei ze daarom voorzichtig.
„Oké, ieder zijn mening." Han maakte daar helemaal geen probleem van. Een mens zijn zin is een mens zijn leven, was haar devies. „Vraag het eens aan Carrie," was haar volgende advies. „Zij is de enige van ons vieren die niets buiten de deur doet en dus automatisch ook de enige die ervoor in aanmerking komt."
„Maar kan ik dat zomaar doen?" aarzelde Stella. „Ik bedoel, ik kan het haar toch niet zomaar vragen? Misschien stemt ze dan alleen toe omdat ze het vervelend vindt om te weigeren."
„Ben je gek," zei Han, nuchter als altijd. „Daar is ze toch zeker zelf bij? Het is een volwassen vrouw, hoor. Als ze het niet wil doen kan ze gewoon nee zeggen."
„Je hebt gelijk. Ik ga haar straks meteen bellen. Nu durf ik nog, met jouw woorden als ruggesteun."
„Doe dat. En succes."
Ze belden af en meteen, voor ze zich zou bedenken, draaide Stella het nummer van Carrie. Ze had zich zorgen gemaakt voor niets, want zodra Carrie begreep wat er aan de hand was, stelde ze zelf spontaan voor om Stefan en Eric op te vangen.
„Meen je dat echt?" vroeg Stella verbaasd. Ze kon haar oren niet

geloven. Zomaar ineens, in een paar minuten tijd, bestond haar probleem niet meer.
„Natuurlijk meen ik het. We zijn op de wereld om elkaar te helpen. Je weet hoe ik ben, ik doe niets liever dan lekker met kinderen omgaan en van alles met ze ondernemen. En trouwens, we hebben toch een verbond? Dat zou ook een aanfluiting zijn als het eerste verzoek om hulp meteen afgewezen werd."
„Jawel, we hebben een verbond, maar we hebben niet afgesproken om constant beslag op iemands tijd te leggen," antwoordde Stella spits, maar Carrie lachte haar vierkant uit.
„Die enkele keer dat je werkt? Kom nou, dat is nauwelijks een belasting voor me. Als je fulltime zou werken werd het wat anders. Ik doe het graag."
„Je bent een schat," vond Stella dankbaar.
Met een warm, tevreden gevoel legde ze even later de hoorn weer terug op de haak. Wat een geluk dat ze elkaar via de peuterzaal hadden leren kennen. Voor het eerst sinds Erics dood voelde Stella zich niet meer eenzaam. Ze wist nu dat er mensen waren waar ze van op aan kon, waar ze op terug kon vallen. Als dit een paar maanden eerder gebeurd was, had ze er helemaal alleen voor gestaan, nu was het al opgelost voor ze er echt over had kunnen piekeren. Met een glimlach om haar lippen schonk Stella wat te drinken in en zette de tv aan.
Ze was niet meer alleen. Het was een heerlijke, geruststellende gedachte.

HOOFDSTUK 4

Zoals iedere dag als ze van haar werk thuis kwam, nam Han een uitgebreide douche, verkleedde zich en maakte zich zorgvuldig op. Dat was een gewoonte geworden van haar. Op haar werk droeg ze keurige pakjes, maar eenmaal thuis kleedde ze zich graag wat comfortabeler. Pas na deze dagelijkse opknapbeurt haalde ze Mirjam op bij haar oppasmoeder, om een uur of zes, halfzeven. Dat ze daarom pas laat aan tafel zaten, deerde Han niet. Dat uurtje alleen na een dag hard werken had ze gewoon nodig. En 's avonds laat nog afwassen hoefde niet, want haar huis was voorzien van de nieuwste apparaten om het huishouden plezieriger te maken en daar was ook een prima afwasmachine bij.
Deze avond was zowel het eten als de afwas geen enkel probleem, want toen ze Mirjam bij Karin had opgehaald ging ze meteen door naar Carrie, waar ze op de kinderen zou passen. Carrie had een feestje in haar familie en ze had er een hekel aan om dan haar drie kinderen mee te nemen.
„Het is altijd zo'n gesleep," zei ze verontschuldigend tegen Han terwijl ze met zijn allen zaten te eten. „En je hebt ook niks aan je avond als je constant op ze moet letten.'
„Je hoeft je niet te verontschuldigen. Ik zou ook niet graag met drie kinderen naar een feestje gaan en ik vind het helemaal niet erg om op te passen. Deze ovenschotel smaakt trouwens fantastisch. Ik neem nog maar een beetje."
Han schepte haar bord nog eens vol en begon met Remco over zijn school te praten. Ze wist hoe Carrie was. Als ze niet onmiddellijk van onderwerp veranderde, zou ze excuses aan blijven dragen. Eigenlijk was het niets voor Carrie om een ander te vragen iets voor haar te doen. Ze voelde zich snel schuldig, hoewel ze zelf altijd voor iedereen klaar stond.
Na het eten verkleedde Carrie zich terwijl Han met tegenzin de afwas deed. Nou ja, het moest maar even. Het was voor Carrie ook niet leuk als ze na een avondje uit in de troep thuiskwam.
Met alle kinderen zwaaide ze even later Carrie uit.
„En nu een spelletje doen!" juichte Tina zodra haar moeder uit het zicht was. „Je hebt het beloofd, tante Han."

„Eerst even Bas naar bed brengen," bedisselde Han.
Vertederd pakte ze de zes maanden oude baby uit de box, waar hij al haast lag te slapen. Ondanks dat verscheen er een brede glimlach op zijn gezicht toen ze hem even knuffelde.
„Heerlijk vrolijk ventje van me."
Liefdevol drukte ze hem tegen zich aan, wat hij gewillig onderging. Mirjam liep mee naar boven en samen legden ze een kwartiertje later het schoon gewassen kind in zijn ledikantje. Kleine Mirjam stopte zorgvuldig het dekbedje in.
„Lief hè mam? Waarom krijg ik geen broertje of zusje?"
„Dat gaat niet, lieverd." Met een glimlach tilde Han haar dochter op en gaf haar een eskimo zoen, een geliefd spelletje.
Mirjam liet zich echter niet afleiden.
„Waarom niet dan? Tina heeft twee broertjes en ik niks."
„Chantal ook niet, dat geeft toch niets? Wij hebben het samen toch gezellig?"
„Maar ik wil wel een broertje of een zusje. Of allebei."
Han schoot in de lach. „Toe maar, je bent ook niet veeleisend. Maar het gaat echt niet, meiske. Mama vertelt je nog wel eens waarom niet, maar nu gaan we een spelletje doen. Ga je mee?"
„Eerst Bas nog een kusje."
Even later liepen ze samen de trap weer af. Vertrouwelijk keek Mirjam naar haar moeder op.
„Het geeft niet hoor, dat ik geen broertje of zusje krijg, een hond is ook goed," sprak ze troostend.
„Sorry schat, maar zelfs dat gaat niet," antwoordde Han terwijl ze moeite deed om haar lachen in te houden. „Een hond kan niet de hele dag alleen thuis blijven en mama moet werken."
„Dan een poes."
„Misschien. We praten er nog wel over."
Tevreden met dit vage antwoord huppelde Mirjam de kamer in en Han bedacht trots dat haar dochter een zeer verstandig en bijdehand kind was. Maar dat zouden alle moeders wel van hun eigen kind vinden, dacht ze toen weer nuchter.
Het spelletjes doen verliep gezellig, maar Han was blij toen het hele span tegen halftien in bed lag. Eindelijk even tijd voor haarzelf. Ze installeerde zich net met een boek en een glas witte wijn op de bank toen de bel ging. Zuchtend en in zichzelf mopperend

opende ze de deur en keek in het gezicht van een lange, aantrekkelijke man.
„Goedenavond. Is Carrie thuis?" Zijn stem klonk prettig.
„Nee helaas. Maar als u een vriend van haar bent, kunt u binnen wel even wachten. Carrie kennende, zal ze wel niet meer zolang wegblijven."
„Graag." Zonder verdere plichtplegingen liep de man naar binnen, de huiskamer in. „Zo'n glas wijn zou ik ook wel lusten," zei hij charmant. Pas nadat dat ingeschonken was en ze tegenover elkaar zaten, stelde hij zich voor. „Ik ben Koos Wiechers. Een kennis van Carrie."
„Aangenaam, Han van Dijk. Ik heb vanavond de eer om op de kinderen te mogen passen."
„Saaie klus voor de vrijdagavond. Kon je niets leukers verzinnen?"
Hij liet zijn ogen goedkeurend over haar lichaam gaan en Han, die daar erg gevoelig voor was, ging meteen in de aanval.
„Ach, de avond is nog jong en morgen heb ik een vrije dag." Ze keek hem uitdagend aan. „Dus als je een voorstel hebt om er iets leuks van te maken?"
Als hij al overrompeld was door haar directe aanpak, liet hij het niet merken. Hij ging onmiddellijk op haar woorden in. „Ik weet een gezellig zaakje waar ze uitmuntende cocktails serveren en waar een ruime dansvloer aanwezig is. Ze zijn tot 's morgens vier uur open. Dus?" Hij keek haar vragend aan en Han ging meteen met zijn voorstel akkoord.
„Afgesproken. Zodra Carrie thuis is gaan we op stap. Mijn dochter blijft hier slapen, dus dat is geen probleem."
Met een bestudeerd gebaar pakte Han een sigaret en het amuseerde haar om te zien hoe snel Koos zijn aansteker pakte om haar van vuur te voorzien. De eerst zo saaie vrijdagavond beloofde een spannend vervolg te krijgen. Om niet te zeggen een opwindend vervolg, dacht Han in zichzelf grinnikend. Ze zag het helemaal zitten. Het werd wel weer eens tijd dat er wat spanning in haar leven kwam. Het was al ruim een half jaar geleden dat ze een relatie had en die had maar twee maanden geduurd.
Ze zegende intussen het feit dat ze zich altijd verkleedde als ze uit haar werk kwam, zodat daar nu geen tijd meer aan verspild hoef-

de te worden. Het strakke, zwarte mini-jurkje dat ze droeg zou niet misstaan in een bardancing en haar make-up was niet overdadig, maar wel geraffineerd. De grote, zilveren oorbellen en de lange ketting maakten de vrij eenvoudige jurk af.
„O, je hebt een dochter? Geen man of vriend op de achtergrond?" vroeg Koos nonchalant.
„Nee, ik ben aan niemand gebonden. Ik wilde geen relatie, wel een kind, dus ben ik, wat ze noemen, een B.O.M. moeder geworden. Behalve dan dat ik een kind heb, ben ik zo vrij als een vogeltje in de lucht en ik kan doen en laten wat ik wil."
Han sloeg haar benen over elkaar, zodat het toch al korte rokje nog wat verder opschoof en ze zag met genoegen dat Koos' blik er even op bleef rusten. Ze wist precies hoe ze een man moest bespelen.
„Ik heb ook een dochter," zei hij opeens. „Ze woont bij haar moeder."
„Gescheiden?"
Hij knikte.
„Dat is één van de redenen dat ik geen vaste verbintenis wil. Er lopen ontzettend veel huwelijken mis en de kinderen zijn er altijd de dupe van. Als hun vader ineens ergens anders gaat wonen krijgen ze toch een klap."
„Mijn dochter weet niet beter, want ze heeft me nooit gezien. We zijn gescheiden toen mijn vrouw in verwachting was en ik ken haar alleen van foto's. Kijk." Met een verlegen gebaar, zoiets hoorde eigenlijk niet als stoere vent, vond hij zelf, toonde hij Han een foto van een meisje van een jaar of drie.
„Maar dat is Chantal!" riep Han verbaasd uit. „Ben jij.... ja, dat moet wel. Jij bent de ex-man van Monica Martins!"
„Klopt. Je kent haar dus? Dan zul je nu wel een hekel aan me hebben." Hij liet een schamper lachje horen.
„Waarom? Ik beoordeel mensen op hoe ik ze ken, niet naar verhalen die ik over ze gehoord heb. Trouwens, wat jij met Monica hebt, daar sta ik buiten, dat is jullie probleem. Wil je nog wat drinken?" Ze stond op en vulde de glazen nog eens bij. „Ik vraag me wel af hoe je aan die foto's komt," zei ze even later nadenkend. „Volgens Monica hebben jullie totaal geen contact meer."

„Via Carrie. Ik kom hier af en toe even langs en dan krijg ik foto's en de nieuwste verhalen over haar ontwikkeling."
„Aha, dus toch spijt van die beslissing van vier jaar geleden?"
„Absoluut niet." Zijn antwoord kwam snel en klonk gemeend. „Ik blijf erbij dat ik geen kinderen wil, maar ze bestaat en daar kan ik niet omheen. De mogelijkheid is er dat ze later contact met me zoekt en dan wil ik niet onvoorbereid tegenover een wildvreemd meisje staan. Maar ik wil haar beslist niet opvoeden, geen enkel kind trouwens. Ik wil vrij zijn en van het leven genieten, reizen maken, comfortabel leven."
„Sorry dat ik me ermee bemoei, maar waarom ben je dan ooit met Monica getrouwd? Je hoeft geen antwoord te geven, hoor."
Hij haalde zijn schouders op. „Je mag het gerust weten, want ik hoef me nergens voor te schamen. Ik dacht dat Monica dezelfde levensstijl had als ik en dat was ook zo, totdat ze zwanger werd. Van het ene op het andere moment telde alleen de baby nog voor haar en de rest werd overboord gezet. We hadden nooit echt serieus over kinderen gepraat, maar ik heb wel altijd laten merken hoe ik erover dacht."
„Ach ja, zo zijn vrouwen," filosofeerde Han. „Ze denken altijd dat ze alles wel naar hun hand kunnen zetten als het zo uitkomt. Monica zal gedacht hebben dat jij wel om zou slaan na verloop van een paar jaar. Weet ze trouwens dat jij contact met Carrie hebt?"
„Geen idee. Ik vraag er nooit maar en Carrie praat alleen over Chantal, nooit over Monica. Dat interesseert me ook niet zoveel. Dat hoofdstuk heb ik voorgoed achter me gelaten. Ik denk dat Carrie me toch wel ziet als een toegewijde vader, anders zou ze zich hier nooit voor lenen."
„Inderdaad." Han grinnikte. „Die goede Carrie. Ze zit vast aan allerlei regeltjes van hoe het wel en niet hoort. Het valt me honderd procent mee hoe ze de scheiding verwerkt, want een gezin zonder vader die om klokslag zes iedere dag thuis komt, hoort voor haar duidelijk bij de dingen die eigenlijk niet kunnen. We zijn trouwens wel ineens in een serieuze hoek beland, zeg."
„Ja, en dan moet je nagaan dat ik alleen maar dacht aan een avond plezier toen ik jou zag."
„O, maar dat plezier komt nog wel vannacht, maak je niet

bezorgd." Han keek hem uitdagend en flirterig aan. „Het is nog lang geen zaterdagochtend."
„Ik verheug me op de komende uren." Hij gaf haar speels een kus op haar wang en legde zijn hand op haar in ragfijne kousen gehulde knie. „Hoe laat denk je dat Carrie thuis komt?"
„Nu," antwoordde Han droog, die gemorrel aan de deur hoorde. Ze maakte geen aanstalten om de hand van haar knie te duwen, maar Koos trok hem zelf snel terug toen Carrie ineens in de kamer stond. Verbaasd en enigszins wantrouwend keek ze naar het tweetal dat inmiddels naast elkaar op de bank zat.
„Jullie hebben al kennis gemaakt, zie ik?" vroeg ze ongewild ironisch.
„Meer dan dat zelfs." Koos toonde zijn ontwapenende lach, maar Carrie ontdooide niet. „Ik ga je oppas ontvoeren om nog een beetje actie aan deze avond toe te voegen."
„O," was het nietszeggende antwoord. Carrie ging zitten, de benen keurig naast elkaar, haar handtas op haar schoot. Net moeder de gans die over haar jongen waakt, dacht Han geamuseerd. „Weet jij dat Koos de ex-man van Monica is?" vroeg Carrie scherp.
„Ja, daar hebben we het al uitgebreid over gehad," antwoordde Han luchtig. „En ik weet wat je verder wilt vragen, maar ja, ik ga toch met hem uit. Wat Koos en Monica samen hebben, of liever gezegd hádden, is mijn zaak niet."
„Ik vind het niet gepast."
„Daarover verschillen we dan van mening. Was het een leuk feestje?"
Carrie gaf geen antwoord en keek met argusogen naar de manier waarop Koos Han in haar jas hielp. Veel te vertrouwelijk en te intiem, volgens haar. „Ik bel je nog wel," zei ze afgemeten.
„Dat hoeft niet. Ik kom morgen mijn dochter halen, weet je nog? Nou, we gaan. Wens ons maar veel plezier."
„Ik hoop dat jullie een gezellige avond hebben."
„Dat klonk niet echt gemeend," lachte Han even later in de beslotenheid van Koos' auto.
„Dat was ook nauwelijks te verwachten. In Carries ogen is ons uitstapje helemaal niet gepast. Ik heb zo'n idee dat je morgen heel wat te horen krijgt van haar."

„Jammer dan." Han haalde nonchalant haar schouders op. „Ik ben een volwassen vrouw en hoef aan niemand rekenschap af te leggen. En nu wil ik het niet meer over Carrie of Monica hebben. Ik heb de hele week hard gewerkt en ben toe aan een verzetje."
„Dat kun je krijgen!" beloofde Koos. Overmoedig sloeg hij een arm om haar heen en met zijn vrije hand stuurde hij de wagen de donkere nacht in.

Carrie was als een standbeeld in de kamer blijven staan. Han en Koos. In haar ogen een onmogelijke combinatie. Ze kon zich precies voorstellen hoe de avond en de nacht voor hun tweeën verder zou verlopen. Eerst nog wat drinken, daarna dicht tegen elkaar aan dansen en tenslotte bij elkaar in bed belanden. Heel haar burgerlijke natuur kwam er tegen in opstand, maar toch was er ook een ander gevoel in haar. Een soort onbestemd verlangen om mee te kunnen doen, zich jong te voelen.
Carrie voelde zich opgesloten in haar bestaan van huisvrouw en moeder, maar toch wilde ze niet anders, kón ze niet anders. Heel haar leven was op hetzelfde stramien geborduurd, met keurige kleine, precies afgewerkte steekjes. De enige dissonant in dat werk was de scheiding van Lex. Die lag als een grote, onontwarbare knoop in het midden. Vanaf die knoop was ze weer op de oude weg verder gegaan, maar binnen in haar was er iets veranderd.
Met besliste stappen liep Carrie naar de bar van haar wandmeubel. Ze had behoefte aan een borrel. Ze aarzelde even tussen vermout en jenever, nam uiteindelijk toch de laatste fles en schonk een flink glas in, wat ze in één teug opdronk. Het brandde in haar keel en maag, maar de smaak en de uitwerking waren prettig genoeg om er nog één te nemen. Weer nam ze een flink glas, maar nu dronk ze er met kleine teugjes van, wat de aangename sensatie alleen maar versterkte. De wereld begon er alweer wat prettiger uit te zien. Het derde glas nam Carrie mee naar de bank, waar ze zich in een hoek opkrulde tot ze een comfortabele houding gevonden had.
Koos en Han, dacht ze weer. Die maken plezier, die leven. En ik? Ik zit thuis met de kinderen, zoals al heel lang het geval is. En af en toe mag ik een avondje weg, maar om elf uur moet ik thuis zijn.

Ze dacht terug aan de avond die achter haar lag. Een familiefeestje. Puh, het mocht wat! Het was gewoon een verzameling familieleden die in één kamer gepropt waren en niets anders deden dan roddelen en commentaar leveren op andere mensen. Zelf allemaal keurig en onkreukbaar meenden ze dat recht te hebben. Carrie lachte schamper toen ze eraan dacht wat ze van haar zouden zeggen als ze haar zo konden zien. Keurige, degelijke Carrie, die de hele avond met een frisdrankje deed, was thuis stiekem aan de drank! Ze kon het commentaar al horen.
Ach, en zoveel dronk ze niet eens. Af en toe een glaasje om de pijn te verzachten, om het gemis van Lex te kunnen vergeten. Lex, van wie ze nog zoveel hield en die ze meer miste dan ze ooit toe durfde te geven.

HOOFDSTUK 5

Met moeite opende Han de volgende morgen haar ogen. Het duurde even voor ze zich realiseerde wie er naast haar lag en hoe dat zo gekomen was. Met gefronste wenkbrauwen keek ze naar het slapende hoofd op het kussen naast haar. Het viel niet mee om helder na te denken met een kater, maar langzaam werden de beelden in haar hoofd wat duidelijker en toen duurde het niet lang meer voor ze zich alles weer herinnerde.
Het was een fantastische nacht geweest. Koos had beslist niet overdreven toen hij de bardancing aanprees. Het was er gezellig, de muziek was er net niet te hard en de cocktails perfect. Ze hadden veel gedanst op wilde, opzwepende muziek, maar ook op de langzame nummers, waarbij Koos haar steevast heel dicht tegen zich aan hield. Als vanzelfsprekend was hij daarna met haar mee naar huis gegaan en de uren die toen volgden zou Han niet snel meer vergeten. Ze had verschillende minnaars gehad, maar Koos behoorde wat haar betrof bij de top drie.
Ongegeneerd rekte Han zich uit, wierp daarbij een blik op de klok en schrok toen ze zag hoe laat het was. Halftwaalf al en ze had om een uur of halféén met Carrie afgesproken om Mirjam op te halen. Ondanks de wetenschap dat ze zich moest haasten om haar afspraak na te komen, kostte het Han moeite om haar bed te verlaten. Ze was tegen een uur of vijf in slaap gevallen, dus ze had zo'n zeseneenhalf uur slaap achter de rug, maar ze voelde zich alsof ze nog geen twee uur rust gekregen had.
„Dat komt door de lichamelijke inspanning," grinnikte Koos nadat ze hem wakker had gemaakt. „Seks is heel goed voor je conditie, wist je dat?"
„Daar merk ik nu anders weinig van." Met moeite kwam Han overeind. „Ik voel me zeventig, op zijn minst."
„Zet maar een pot sterke koffie, dat helpt. Dan ga ik me ondertussen douchen. Doe maar niet te veel moeite voor het ontbijt. Aan twee broodjes heb ik genoeg en mijn koffie drink ik zwart."
„Pardon? Je verwacht toch geen complete verzorging, hoop ik?" Han keek hem met opgetrokken wenkbrauwen aan terwijl ze haar duster aanschoot en een handdoek uit de kast pakte. „Ik heb na het douchen meer tijd nodig om me op te maken dan jij, dus

ik ga eerst en in die tijd mag jij het ontbijt klaarmaken en koffie zetten. Je vindt alles vanzelf in de keuken, want er staat maar één grote kast. Het koffiezetapparaat staat op het aanrecht."
„Slecht hotel hier," mopperde Koos met een lach in zijn ogen. Hij was dit niet gewend, maar het beviel hem wel dat Han niet als een hondje achter hem aanliep en voor zichzelf opkwam.
„Kwestie van taakverdeling," vond Han.
„Wat is jouw taak dan? Het ontbijt opeten zeker?"
„Onder andere." Han liep richting badkamer en draaide zich bij de deur nog even om. „En wat dacht je van het verschonen van mijn bed?"
„Oké, schaakmat," gaf hij toe.
Hij verdween naar de keuken en vanuit de badkamer hoorde Han hem fluiten. Hij heeft in ieder geval geen last van een ochtendhumeur, dacht ze glimlachend. Ook dat had ze wel eens anders meegemaakt.
Tegen enen arriveerde ze bij Carrie, die haar vrij nors opwachtte. Ook zij had last van een kater, maar dat was iets wat geen moment in Han opkwam. Carrie dronk immers nooit?
„Je bent laat."
„Sorry, verslapen," was Hans summiere uitleg. Ze begroette Mirjam, maar die had weinig belangstelling voor haar moeder. Ze vermaakte zich prima met de kleine Bas, het leukste speelgoed dat ze zich maar kon wensen.
„Wil je koffie?"
„Graag. Lekker sterk en lekker heet. En kijk niet zo chagrijnig, beste meid."
Carrie bromde wat en verdween naar de keuken terwijl Han zich grinnikend op de bank liet zakken. Ze begreep precies waar de schoen wrong. Carrie was het er niet mee eens dat zij, Han, gisteren was wezen stappen met Koos. Zoiets hoorde niet. Maar Han was niet van plan om zich de wet voor te laten schrijven, zelfs niet door één van haar beste vriendinnen.
Eenmaal met de koffie voor zich kon Carrie toch niet nalaten te vragen of het gezellig geweest was.
„Héél gezellig," knikte Han opgewekt. „En Koos is gelukkig geen man die 's morgens niets kan hebben en zonder een woord te zeggen het huis verlaat. We hebben een haastig, maar leuk ontbijt

gehad, door hém klaargemaakt." Ze daagde Carrie nu bewust uit. Han wilde haar goed duidelijk maken dat ze zelf bepaalde hoe ze haar leven inrichtte en dat ze daarin geen inmenging wenste.
Carrie hapte onmiddellijk. „Hij is dus blijven slapen. Sorry hoor, maar vind je dat nou normaal? Je kent hem nauwelijks."
„Nou en? Het klikte, we hebben een leuke avond gehad en we hadden allebei zin om dat voort te zetten in bed. Waarom zouden we het dan niet doen?"
„Ik vind het onsmakelijk." Carrie trok een afkeurend gezicht, waardoor ze er ineens een stuk ouder uitzag. „En voor Mirjam is het ook niet bepaald prettig, iedere keer een andere man in haar moeders bed. Daar leert het kind ook niets goeds van."
„Mirjam merkt er niets van en dat weet je," zei Han rustig. „Dat heeft hier trouwens niets mee te maken. Jij keurt af wat ik doe, maar dat wil niet zeggen dat ik mijn levenshouding moet veranderen. Ik zou voor geen prijs jouw leven willen leiden, maar ik kraak jou toch ook niet af? Je moet elkaars mening kunnen accepteren en respecteren. En ik heb geen zin om iedere keer commentaar te krijgen op wat ik doe. Ik ben een vrije, onafhankelijke vrouw, die aan niemand rekenschap en verantwoording af hoeft te leggen. Het spijt me als ik nu erg hard overkom, maar als jij je constant op deze manier met mijn zaken gaat bemoeien, dan hoeft onze vriendschap voor mij niet meer."
Han had klaar en helder haar zegje gedaan en Carrie had stil geluisterd. Ze waagde het niet om haar te onderbreken. Eigenlijk bewonderde ze Han enorm, omdat ze zo vrij voor haar mening uitkwam en geen concessies wilde doen die ten koste gingen van haar eigen persoonlijkheid. Carrie zou zoiets nooit durven, die liep liever met de grote stroom mee en hield graag iedereen te vriend. Ze voelde zich ineens tuttig en onbeholpen naast de kracht en energie die Han uitstraalde. Ze scheelden zeven jaar, maar geen mens zou op het eerste gezicht zeggen dat Carrie de jongste was, met haar degelijke kleding en ietwat slonzige uiterlijk. Han, met haar felgele spijkerbroek, roze T-shirt en perfecte make-up, had een veel levendiger en jongere uitstraling.
„Sorry," zei Carrie eindelijk zacht. „Maar het is niet alleen afkeuring, er komt ook bezorgdheid bij kijken. Ik ben bang dat je van-

daag of morgen een keer verschrikkelijk je neus stoot en dat zou ik je graag willen besparen."
„Maar dat kan je niet. Iedereen maakt fouten en iedereen krijgt klappen. Daar is nu eenmaal niets aan te doen. Ik hoop alleen dat ik bij je terecht kan als ik zo'n klap oploop."
„Natuurlijk. We zijn toch vriendinnen?" Carrie stond op om de kopjes nog eens bij te vullen en aarzelde even bij de deur. „Maar eh... je..., je let toch wel op?"
Niet begrijpend keek Han haar aan, daarna schoot ze in de lach. „O, je kunt het niet laten, hè? Maar maak je geen zorgen, ik heb een grote voorraad condooms liggen en iedere vent die daar op tegen is gooi ik zonder pardon mijn huis uit. Ik heb geen zin om een ziekte op te lopen."
Carrie bloosde bij dit spontane antwoord en liep vlug naar de keuken. Han keek haar lachend na. Die Carrie! Het was een schat, maar ze zou nooit eens lekker loskomen. Het bleef een ouderwets huismoedertje met een tuttige inslag. Maar ze was goed zoals ze was. Zo had Han haar leren kennen en zo mocht ze haar graag. Als ze met haar moederkloekneigingen maar van haar leven afbleef!
Omdat het zulk lekker weer was, ging Han met Mirjam naar het park, waar ook een speeltuin was. Al haar aandacht was nu voor haar dochter, Han vond dat Mirjam daar recht op had. Dat was trouwens vanaf het begin haar stelregel geweest: door de week haar baan, de weekenden voor Mirjam. En het liep prima zo. In Karin had Han een uitstekende oppasmoeder gevonden, zodat ze niet bang was dat Mirjam iets te kort kwam door haar veeleisende baan en de studie die ze daarnaast volgde. Integendeel, Mirjam was juist een bevoorrecht kind met twee liefhebbende moeders.
Moeder en dochter hadden een gezellige middag en kwamen om een uur of vijf tevreden thuis, waar Han eieren bakte en brood klaarmaakte. Daarna werd Mirjam uitgebreid gewassen en na het voorlezen van een sprookje in bed gelegd.
Een lange, rustige zaterdagavond lag nu voor Han uitgestrekt en ze was van plan om die optimaal te benutten. Een maskertje voor haar gezicht, een speciale oliebehandeling voor haar haren, daarna uitgebreid in bad met een boek en wat te drinken. Een grieze-

lige nachtfilm bekijken stond ook nog op haar programma.
Han kreeg echter weinig kans om haar voornemens uit te voeren. Net toen ze het maskertje op haar gezicht aan wilde brengen ging de bel. Zichzelf gelukwensend met het feit dat ze niet vijf minuten eerder was begonnen, omdat ze dan met een gezicht vol klei tegenover haar bezoek had moeten staan, opende ze de deur. Het was Monica en Hans gezicht verstrakte. Dit was Carries werk natuurlijk! Die had vast Monica ingelicht over alles wat er voorgevallen was.
„Zo, de tamtam heeft al snel zijn werk verricht, zie ik," zei Han lichtelijk sarcastisch en niet bepaald gastvrij.
„Wat bedoel je?" Monica's gezichtsuitdrukking was oprecht verbaasd, maar in haar plotseling opkomende woede zag Han daaraan voorbij.
„Kom nou Monica. Ga me nou niet vertellen dat je niet komt om me ter verantwoording te roepen of om me te waarschuwen of wat dan ook. Carrie zal je wel uitgebreid ingelicht hebben, met de nodige overdrijving natuurlijk, maar het is mijn leven. Als het jouw goedkeuring niet heeft is dat erg jammer, maar niet mijn probleem. Dat heb ik Carrie ook gezegd."
„Lieve Han, het spijt me verschrikkelijk, maar ik heb geen idee waar je het over hebt. Ik heb Carrie al een paar dagen niet gezien of gesproken. En ik weet niet of het tot je doordringt, maar we staan nog steeds in de deuropening. Mag ik misschien binnen komen of ben je zo kwaad dat je niemand meer wilt zien?"
„Nee, nee natuurlijk niet. Sorry, kom erin." Han opende de deur nu verder en Monica stapte langs haar heen de gang in.
„Hè, hè, eindelijk. Wat kan jij tekeer gaan, zeg. Voortaan bedenk ik me wel een keer voor ik onaangekondigd bij je op visite kom. De ontvangst was niet bepaald hartelijk."
„Sorry," zei Han voor de tweede keer. „Maar ik dacht dat je kwam om me ter verantwoording te roepen en dat werd me ineens even te veel. Ik heb al genoeg van Carrie te horen gekregen."
„Hoezo? Wat is er aan de hand dan? Biecht eens op." Onderzoekend keek Monica Han aan.
„Straks," wimpelde die af. „Als we rustig zitten. Ik ga nu eerst koffie zetten. Waar is Chantal?"
„Bij Tinie. Ze gaan morgen naar de dierentuin en zij mocht mee.

Omdat ze vroeg weggaan, blijft ze daar vannacht slapen. Ik heb haar net gebracht en op de terugweg kreeg ik het goede idee om even hierheen te komen. Hoewel, goed..."
„Ja ho maar, ik vrees dat ik dit nog wel een tijdje aan moet horen. Maar ik ben echt blij dat je er bent, dan kunnen we even bijkletsen. Ik vertel het je trouwens liever zelf dan dat je het van een ander hoort."
„Maar wát dan? Meid, het lijkt wel of je je met duistere praktijken bezighoudt."
„Volgens Carrie wel, ja." Han liep met het blad met koffie, kopjes en een schaaltje bonbons naar de kamer. „Gisteravond heb ik een paar uur bij Carrie op de kinderen gepast en toen stond Koos ineens op de stoep. Jouw Koos."
„Mijn ex-Koos," verbeterde Monica rustig. Ze dronk met kleine slokjes van haar hete koffie en aan niets was te merken dat ze er van schrok dat haar ex-man bij haar vriendinnen thuis kwam.
„Oké, zoals je wilt. We raakten aan de praat en het was heel gezellig. Carrie kwam om een uur of elf thuis en toen zijn Koos en ik samen gaan stappen. Vannacht heeft hij hier geslapen. Carrie blies de hele zaak nogal op, dus dacht ik dat ze jou meteen alles verteld had."
Monica moest die woorden even op zich in laten werken. Han en Koos.... Hoewel ze volledig met haar huwelijk afgerekend had, gaf die combinatie toch een nare smaak in haar mond. Het duurde een paar minuten voor ze zich zover hersteld had dat ze er nuchter over kon praten.
„Ik kan nou niet bepaald zeggen dat ik loop te juichen bij dit bericht," hervatte ze het gesprek. „Maar eigenlijk heb ik er niets mee te maken. Koos is verleden tijd voor mij."
„Ik ben blij dat je er zo over denkt. Begrijp me goed, ik doe toch wel waar ik zelf zin in heb, maar ik zou het verschrikkelijk vinden als het onze vriendschap verstoorde."
„Ach, jullie zijn twee volwassen, ongebonden mensen, dus je doet er niemand kwaad mee. Alleen begrijp ik eerlijk gezegd niet dat je je met hem inlaat. Je weet tenslotte hoe hij is."
„Nee, ik weet alleen hoe jij hem ziet," verklaarde Han. „Op mij kwam hij heel anders over. Maar ik zie hem ook niet als echtgenoot of vader. Dat hij daarin tekort geschoten is, heeft niets met

onze relatie te maken. Ik ben niet op zoek naar een betrouwbare man."
„Dat is maar goed ook, want anders was je duidelijk aan het verkeerde adres," zei Monica schamper. „Voor dat examen is hij allang gezakt."
Ze stak een sigaret op en Han schonk nog een keer koffie in. Er was een onaangename stilte gevallen tussen hen.
„Je hebt er moeite mee, hè?" vroeg Han eindelijk.
„Ja," gaf Monica meteen volmondig toe. „Het doet me pijn dat mijn beste vriendin zich prima vermaakt met de man die mij en mijn kind zoveel ellende en verdriet aangedaan heeft."
„Die redenering vind ik niet helemaal eerlijk. Jij hebt ooit zelf voor Koos gekozen, compleet met zijn karakter. Dat hij niet de echtgenoot bleek te zijn zoals jij je voorgesteld had is niet zijn fout. Ik vind niet dat je hem daar achteraf op mag veroordelen."
„Ja, ik had wel verwacht dat je hem zou verdedigen." Monica zei het sarcastisch, maar ze verontschuldigde zich meteen. „Het spijt me, zo bedoelde ik het niet. Weet je, verstandelijk bezien geef ik je op alle fronten groot gelijk, maar emotioneel ligt het anders. Ik weet niet waar het aan ligt, maar het doet me meer dan ik verwacht had."
„Lijkt me logisch," vond de nuchtere Han. „Je hebt jaren van je leven met die man gedeeld en je hebt een kind van hem, dus ik denk dat je gevoelsmatig nooit helemaal van hem loskomt."
„Ik zal er mee moeten leren leven." Monica haalde een paar keer diep adem en bewoog haar schouders naar achteren, alsof ze iets van zich afschudde. „Nog één bakje graag, voor ik weer naar huis ga."
Ze spraken nog wat over andere onderwerpen, maar de gezellige sfeer die er meestal heerste als ze samen waren, bleef die avond achterwege. Monica ging alweer vrij vroeg weg.
Terwijl ze haar jas aantrok, vroeg ze achteloos: „Wat kwam Koos eigenlijk bij Carrie doen?"
„Foto's halen van Chantal," antwoordde Han eerlijk. „Hij is helemaal op de hoogte van alles wat Chantal betreft, daar zorgt Carrie voor. Ik denk niet dat ik het je mocht vertellen, maar nu je er zo rechtstreeks naar vraagt, heb ik geen zin om eromheen te draaien."

Met een hoofd vol verwarde gevoelens fietste Monica naar huis. Han en Koos, Han en Koos, hamerde het steeds door haar heen. Ik heb geen recht om het haar kwalijk te nemen, hield ze zichzelf voor. Maar diep in haar hart wist ze dat ze het Han wel kwalijk nam. Eigenlijk was ze woedend op haar vriendin, een woede die ze niet kon beredeneren, maar die duidelijk aanwezig was.

Daarbij kwam nog een gedachte die constant hardnekkig omhoog kwam: Koos, die foto's van Chantal bij zich droeg, die op de hoogte was van haar leventje. Wat was daar de bedoeling van? Waarom opeens die belangstelling voor een kind dat hij niet eens wilde hebben? Plotseling werd Monica overvallen door een panisch gevoel van angst. Het zweet brak haar uit bij de mogelijkheid die haar opeens te binnen schoot. Stel dat Koos Chantal wilde opeisen, dat hij haar voogdijschap aan zou willen vechten! Ze probeerde haar plotseling opgekomen angstgevoelens nuchter weg te redeneren, maar dat lukte niet. Koos moest een reden hebben voor die betrokkenheid en een andere dan deze zag Monica niet.

Ze piekerde zo dat haar aandacht voor het verkeer verslapte en ze merkte de auto die met een geweldige vaart van links kwam niet op. Tenminste, ze zag hem wel, maar omdat ze op een voorrangsweg reed, besteedde ze er verder geen aandacht aan, te verdiept als ze was in haar eigen gedachten. Die wagen reed met volle vaart tegen haar voorwiel aan en Monica belandde een paar meter verder op de grond, waar ze versuft bleef liggen. Ze voelde zich heel raar, alsof het niet haarzelf overkwam, maar een wildvreemde en zij er alleen maar naar keek. Ze probeerde ook niet om op te staan, het leek wel of ze verdoofd was.

In een mum van tijd kwamen er van alle kanten mensen aangelopen en iemand legde zorgzaam een plaid over haar heen.

„Blijft u rustig liggen, niet bewegen. Er wordt gebeld voor een ambulance. Heeft u ergens pijn?"

Niet begrijpend keek Monica naar het hoofd van de oudere man die zich over haar heen boog.

„Heeft u pijn?" herhaalde hij nu iets dringender.

Langzaam drong zijn vraag nu tot haar door, maar het lukte haar niet om antwoord te geven. Ze wilde eigenlijk gewoon opstaan,

haar fiets pakken en naar huis rijden, maar ze was niet bij machte om iets te zeggen of om zich te bewegen.
„Hij is doorgereden, de schoft. Zal wel dronken geweest zijn," hoorde ze iemand vaag zeggen.
Toen drong het pas tot haar door dat ze hier niet zomaar lag, dat ze het slachtoffer was van een ongeluk. De ambulance kwam met gillende sirenes aanrijden en twee broeders bogen zich over Monica heen. Ook zij vroegen of ze pijn had en nu lukte het haar om moeizaam antwoord te geven.
„Nee, helemaal niet," fluisterde ze hees. „Alleen geschrokken."
„We nemen u mee naar het ziekenhuis voor een onderzoek."
Hij haalde de plaid van haar af en er steeg onmiddellijk een afgrijzend gemompel op onder de omstanders. Monica's linkerbeen lag in een vreemde hoek en zelfs voor een leek was het niet moeilijk te constateren dat het gebroken was. Erger nog was de grote, gapende wond net onder haar knie. Het bloedde behoorlijk en toonde een stuk bot dat er dwars doorheen stak.
„Waarschuw het ziekenhuis dat ze een operatiekamer klaar maken," commandeerde de ene broeder. Daarna legden ze Monica op een brancard en werd ze routineus, maar voorzichtig, in de ambulance geschoven. De inmiddels gearriveerde politieagenten hielden de omstanders uit de weg en ontfermden zich over haar fiets.
„Ik voel helemaal geen pijn," zei Monica nogmaals. Haar stem klonk angstig. „Dat is toch niet normaal? Wat is er precies met mijn been?"
„In ieder geval gebroken. Straks wordt u nader onderzocht en u moet geopereerd worden, want het bot moet rechtgezet. Dat u geen pijn voelt is niets bijzonders, dat komt waarschijnlijk door de onverwachte klap en de schok. Wij maken dat vaak mee. De één gilt het uit en de ander voelt niets bij dezelfde verwondingen," zei de broeder geruststellend.
„Dus het komt niet doordat mijn zenuwen kapot zijn of zo?" vroeg Monica, die nu weer helder kon denken.
„Dat kan ik nu natuurlijk niet met zekerheid zeggen, maar ik zou me niet te ongerust maken als ik u was."
Ze arriveerden bij het ziekenhuis, waar direct een chirurg aan een oppervlakkig onderzoek begon.

„Onmiddellijk naar de operatiekamer," beval hij.
Met het gevoel alsof ze midden in een nachtmerrie zat, werd Monica door de witte gangen gereden. Mensen met groene kapjes voor hun mond waren druk bezig met de voorbereidingen voor de operatie.
„We geven u nu een prik," hoorde ze iemand zeggen.
Ze voelde de naald in haar arm dringen, toen zakte ze weg in een diepe duisternis.

HOOFDSTUK 6

Han kreeg het bericht de volgende ochtend te horen van Tinie, die om halfnegen al belde. Ze klonk nogal nerveus en het duurde even voor Han begreep wat er precies gebeurd was.
„Hoe erg is het?" vroeg ze geschrokken.
„Ik weet het niet precies. Haar been is geopereerd en ingegipst, maar ze heeft pas morgen een gesprek met de dokter."
„Ik hoop dat het weer helemaal in orde komt," zei Han bezorgd.
„Ik ga in ieder geval straks naar haar toe en ik zal Carrie en Stella ook inlichten."
„Graag, dan hoef ik dat niet te doen. Ik heb mijn handen vol aan de kinderen. Ze vinden het ongeluk op zich heel interessant, maar dat we daardoor niet naar de dierentuin gaan is natuurlijk minder leuk. Ze zeuren me compleet gek," zuchtte Tinie.
„Maar dan ga je toch gewoon?" vond Han simpel. „Je kunt nu toch niets voor Monica doen en ik denk dat ze deze eerste dag niet veel behoefte heeft om Chantal te zien; ze is nog veel te veel met zichzelf bezig."
„Zou je denken?" Tinie aarzelde, maar Han wist haar om te praten.
„Vast en zeker. Het is voor het kind het beste als alles zoveel mogelijk normaal blijft. Ze kan voorlopig al niet naar huis, nu Monica in het ziekenhuis ligt."
Weer klonk er een diepe zucht aan de andere kant van de lijn. „O hemel, ja, daar had ik nog niet eens aan gedacht. Ze moet dan maar hier blijven, ik zie wel hoe ik dat allemaal regel. Je weet hoe weinig ruimte ik heb."
„Ik zal het er met Carrie en Stella over hebben, misschien is er een andere oplossing," beloofde Han. „Geniet maar van het dagje dierentuin met de kinderen, dan bel ik je vanavond wel."
Ze verbrak het gesprek met een gevoel van wrevel. Wat een zeur zeg, die Tinie. Niet bepaald een steun voor Monica op dit moment. En dan dat klagerige toontje toen ze zei dat Chantal dan maar moest blijven. Vooral dat woordje 'moest' deed het hem, dacht Han spottend. Zo lekker gastvrij. Ze wilde Chantal zelf wel zo lang opvangen, maar ze zat met haar werk. Op zich was dat niet zo'n probleem, maar Chantal moest dan wel met Mirjam mee

naar Karin, haar oppasmoeder, en omdat die een wildvreemde was voor het kind, leek dat haar niet zo'n goede oplossing. Ze probeerde zich voor te stellen hoe dat moest zijn voor een driejarige en schudde resoluut haar hoofd. Nee, dat was niets. Maar waarschijnlijk kon ze wel bij Carrie logeren, die was nu eenmaal gek op kinderen.
Han zette een tekenfilm op voor Mirjam, zodat die even rustig bleef zitten en belde haar vriendinnen op om ze in te lichten. Ze had eerst Stella aan de lijn en die bood meteen spontaan aan om Chantal zolang in huis te nemen.
„Meen je dat? Ik dacht eigenlijk meteen aan Carrie," zei Han.
„O, dank je wel," lachte Stella. „Maar ik kan toevallig ook voor kinderen zorgen hoor. Nee, gekheid. Maar weet je, ik geloof dat het de laatste tijd niet zo goed met Carrie gaat. Ze ziet er zo bleek en moe uit."
„Misschien een opkomend griepje," vermoedde Han. „Laten we hopen dat er niets aan de hand is, anders zit je straks met zes kinderen thuis."
„Ach, wat moet, dat moet. Er is altijd wel een oplossing te vinden," meende Stella laconiek. „Ik hang je op, want mijn zoons breken hier de boel af. Ik zie je straks wel in het ziekenhuis."
Ook Carrie beloofde diezelfde middag al te komen en alsof het afgesproken was, arriveerden ze die middag alledrie tegelijk bij het ziekenhuis en alledrie waren ze zonder hun kinderen. Carrie had Lex gebeld en hij had hun kinderen meteen meegenomen voor een middagje speeltuin, Stella had Stefan en Eric bij haar moeder gebracht en Han had Karin bereid gevonden om op te passen.
„Goh, wat zijn we weer eensgezind," grinnikte Carrie.
Han keek haar even oplettend aan, met de woorden van Stella in haar achterhoofd. Nu ze erop lette zag ze dat Carrie er inderdaad niet zo florissant uitzag. Haar huid zag bleek en haar ogen waren een beetje rood, alsof ze net een flinke huilbui achter de rug had. Haar lach klonk ook een beetje opgeschroefd, kwam niet echt van binnenuit.
Ach, waarschijnlijk maak ik me zorgen om niets, dacht Han. We hebben allemaal onze slechte dagen. Nu moeten we eerst Monica helpen, de rest komt later wel.

Monica lag als een aangeschoten vogel in het ziekenhuisbed, duidelijk nog niet van de schok bekomen. Bij het binnenkomen van haar vriendinnen begon ze te huilen, al probeerde ze krampachtig om zich goed te houden.
„Sorry hoor, maar ik ben zo geschrokken. Om het minste geringste rollen de tranen over mijn gezicht," snikte ze.
„Dat is toch heel normaal. Je moet even helemaal uithuilen, dat helpt." Han ging op het bed zitten en sloeg haar armen om Monica heen. Die gaf vol overgave gehoor aan de uitnodiging. Pas na een paar minuten kwam ze weer een beetje bij en accepteerde ze nog nasnikkend een glas water van Stella.
„Hè hè, dat lucht op," zuchtte ze eindelijk.
„Dat was ook de bedoeling." Carrie knikte haar hartelijk toe. „Hoe is het nu? Veel pijn?"
„Dat valt wel mee, ik krijg om de paar uur pijnstillers en die helpen wel. Ik heb alleen verschrikkelijk veel trek in een sigaret, maar ik mag mijn bed niet uit."
„Ook niet in een rolstoel?" vroeg Stella, maar Monica schudde haar hoofd.
„Nee, voorlopig nog niet."
„Ik vraag wel of je met bed en al naar het dagverblijf mag," zei Han. Ze liep meteen de kamer uit en kwam even later terug met de mededeling dat het die avond kon. „Na de wisseling van de diensten."
De rest van het bezoekuur verliep een beetje moeizaam. Eigenlijk wisten ze geen van drieën goed wat ze moesten zeggen. En Monica was zo suf van de pijnstillers en de doorstane emotie, dat zij ook niet bepaald de aangewezen persoon was om de conversatie gaande te houden. Wel vroeg ze op een gegeven moment hoe het met Chantal moest.
„Blijft ze voorlopig bij Tinie of weten jullie dat niet?"
Stella schoot overeind. „O, stelletje sufkoppen dat we zijn, dat vergeten we je helemaal te vertellen. Chantal logeert zolang bij mij. Ik leg Eric en Stefan op één kamer, dat is geen probleem."
„En iedere dag komt in ieder geval één van ons bij je op bezoek en diegene neemt Chantal dan mee. Dan kun je haar iedere dag zien," voegde Han eraan toe.

De tranen sprongen alweer in Monica's ogen. „Dat jullie dat allemaal willen doen. Geweldig."
„Hé, we hebben niet voor niets een verbond. We zijn juist blij dat jij hier ligt, nu kunnen we onze gezamenlijke afspraken eens nakomen. Kijken wat het waard is," zei Han meteen.
Monica grijnsde door haar tranen heen. „Het is niets, ik ben blij dat ik jullie dit pleziertje kan doen."

Na het bezoekuur nodigde Stella Carrie en Han uit om bij haar te komen eten, maar Han weigerde. Ze zat nogal met zichzelf in de knoop. Vanaf het moment dat ze over Monica's ongeluk had gehoord, liep ze te piekeren. Ze gaf zichzelf de schuld. Waarschijnlijk had Monica niet op het verkeer gelet door wat zij, Han, haar gisteravond verteld had. Ze had er niet over willen beginnen waar Stella en Carrie bij waren, maar ze moest er met Monica over praten. Zeggen dat het haar speet en dat ze alles wilde doen om haar te helpen.
Ze haalde Mirjam bij Karin op, maar de rest van de dag had ze niet veel aandacht voor het kind. Ze gaf automatisch antwoord op haar gebabbel en deed een paar spelletjes met haar zonder dat haar hoofd erbij was. Mirjam merkte de vreemde houding van haar moeder en werd vervelend en jengelig. Han was blij dat haar dochter nog te klein was om klok te kunnen kijken, zodat ze haar extra vroeg in bed kon leggen.
Ze had hoofdpijn en voelde een vervelend, zeurderig gekriebel in haar maagstreek. Zenuwen voor het gesprek met Monica, wist ze. Tenslotte moest ze maar afwachten hoe die zou reageren. Misschien was ze wel zo kwaad dat ze haar niet meer wilde zien. Ach nee, dat was overdreven. Dan had ze dat vanmiddag wel gezegd of in ieder geval ergens door laten merken. Aan de andere kant, ze was nog wel erg suf geweest vandaag en misschien had ze zich ingehouden voor Carrie en Stella.
Han, de nuchtere, realistische Han, liep helemaal vast in haar gedachten. Ze besefte dat de grootste drijfveer voor haar gepieker angst was. Angst om haar beste vriendin kwijt te raken als gevolg van het uitstapje met Koos. Met Carrie en Stella ging ze heel goed om en ze beschouwde hen als vriendinnen, maar de band met Monica was anders, hechter. Eigenlijk was het voor het

eerst van haar leven dat Han zo'n speciale vriendschap met iemand had.
Het gerinkel van de telefoon haalde Han uit haar gedachten en met een kort 'hallo' nam ze op. Het was Koos, maar op dat moment was ze niet bepaald blij om zijn stem te horen.
„Dag schatje, hoe was je weekend zonder mij?" vroeg hij opgewekt.
„Rot," was haar korte en bondige antwoord. „Monica heeft een ongeluk gehad en ligt met een gecompliceerde beenbreuk in het ziekenhuis."
„Vervelend voor haar, maar ik vroeg naar jou. De toestand van mijn ex interesseert me niet echt, als ik het eerlijk mag zeggen."
Han zuchtte. „Koos, je begrijpt het niet. Het was mijn schuld. Ik heb haar verteld wat er vrijdagnacht gebeurd is en daar was ze nogal van streek over."
„En dus had ze haar hoofd niet bij het verkeer. Schatje, ik begrijp het heel goed, maar als het zo gegaan is als jij zegt, dan is het haar eigen schuld. Zij lette niet op. Bovendien heeft ze niets te maken met wat er tussen ons is. Monica is iemand uit mijn verleden en jij hoort bij het heden en de toekomst."
Han sloot even haar ogen en leunde met haar hoofd tegen de muur. Ze had gehoopt op een beetje steun, een beetje begrip, maar hij nam het wel erg makkelijk op. Een affaire met deze man woog niet op tegen de vriendschap tussen haar en Monica.
„Je vergist je," zei ze dan ook. „Je kunt mij ook als een deel van je verleden beschouwen. Vaarwel Koos, bedankt voor de gezellige avond."
Zonder op zijn antwoord te wachten hing ze op. Nog geen minuut later rinkelde haar telefoon opnieuw, maar Han trok resoluut de stekker uit het contact. Zo, dat was dat. Weer een verhouding voorbij. Hoewel, het woord verhouding paste er eigenlijk niet bij, het was een one night stand, zoals dat zo mooi genoemd wordt. Toch wel jammer. Als Koos niet toevallig de ex-man van Monica was geweest, was Han met liefde met hem om blijven gaan, want hij had alles wat zij in een man zocht. Een knap uiterlijk, ambitie in zijn werk, goede manieren en bovenal charme. Maar Monica was nu belangrijker. Han besloot de dag daarna een paar uur vrij te regelen op haar werk, zodat ze op haar gemak met haar vriend-

in kon praten. Gesterkt door dit voornemen viel ze uiteindelijk in een onrustige slaap.
De volgende morgen versliep ze zich en het was een enorm gejacht om nog op een redelijke tijd op haar werk te komen. Mirjam werd, ondanks het haasten, een dik kwartier later bij Karin afgeleverd dan gewoonlijk.
„Ze heeft nog niet gegeten!" riep Han terwijl ze alweer terugliep naar haar auto.
Gelukkig had ze vandaag haar kantoordag, zoals ze het zelf noemde. Twee dagen per week werkte ze op kantoor voor overleg, de andere dagen was ze op pad om bedrijven te bezoeken en binnengekomen klachten te controleren. Vandaag bleek een collega bereid om een paar uur haar telefoontjes aan te nemen en een geplande bespreking kon na enige moeite een paar uur verzet worden. Zodoende kon Han met een gerust hart om halféén het gebouw verlaten. Bij het ziekenhuis kocht ze een groot bloemstuk en daarmee gewapend liep ze de zaal in waar Monica lag.
„Hé Han, wat gezellig!" riep die verbaasd uit. „Ik had geen bezoek verwacht en jou al helemaal niet. Moet je niet werken?"
„Ik heb een paar uur vrij genomen, omdat ik even ongestoord met je wilde praten. Vanavond is Stella er met de kinderen, dus dan komt er niets van. Alsjeblieft, een zoenoffer." Ze overhandigde het bloemstuk en Monica bewonderde het uitgebreid voor ze op Hans woorden inging.
„Hoezo zoenoffer? Wat heb je gedaan dan?"
Han haalde even diep adem. „Ik heb het gevoel dat het mijn schuld is dat je hier ligt," gooide ze er maar meteen uit.
Monica keek haar verbaasd aan, begreep toen meteen hoe Han het bedoelde.
„Je bent gek!" zei ze luid en duidelijk en ze wees veelbetekenend op haar voorhoofd. Bezoekers en andere patiënten keken op, maar Monica negeerde ze. „Ik neem aan dat je bedoelt te zeggen dat ik niet heb opgelet door wat jij zaterdagavond vertelde?" Han knikte alleen maar. „Nou, dat is ook zo, ik piekerde me suf. Maar dat is enkel en alleen mijn verantwoording. Een mens hoort niet te piekeren op een fiets, onder welke omstandigheden dan ook, je moet altijd op het verkeer letten."

„Maar ik..."
„Niks jij! Er zijn twee mensen verantwoordelijk voor dit ongeluk. Ten eerste diegene die me geen voorrang verleende en bovendien veel te hard reed, ten tweede ikzelf omdat ik niet goed oplette."
Han besefte dat Monica oprecht meende wat ze zei en haar totaal niets kwalijk nam. Dat was een opluchting voor haar, maar toch was ze het niet helemaal met haar vriendin eens. Er bleef een licht schuldgevoel hangen, maar dat was iets wat ze zelf moest verwerken. Nu Monica zo duidelijk haar standpunt te kennen had gegeven, wilde ze haar daar ook niet verder mee lastig vallen.
„Hebben ze die man, of vrouw, eigenlijk nog gepakt?" wilde ze nu weten.
„Nou, niet gepakt, hij heeft zichzelf aangegeven. Het fijne weet ik er ook niet van, maar hij was in ieder geval dronken. Er kwam vanochtend een agent, maar hij was zo snel weer vertrokken dat ik geen kans had om nadere bijzonderheden te vragen."
„Ach, wat heeft het eigenlijk voor nut als je alles weet. Het is gebeurd, daar verander je nu toch niets meer aan. Hij zal zijn straf in ieder geval niet ontlopen, dat scheelt."
Monica knikte. „Inderdaad. Als je weet dat zo iemand gewoon vrijuit gaat, dan voel je je helemaal machteloos. Maar het feit dat hij zichzelf aangegeven heeft, bewijst toch dat hij niet door en door slecht is."
„Of hij hoopt op die manier een lichtere straf te krijgen." Han zei het schamper, ze had niet zoveel vertrouwen in de beweegredenen van de schuldige in kwestie. Ze kon er ook totaal geen begrip voor opbrengen. Zelf was ze niet vies van een lekker drankje en ze was wel eens aangeschoten ook, maar als ze moest rijden ging ze nooit verder dan twee glazen wijn. Iets met een hoger alcoholpercentage nam ze dan helemaal niet.
„O, trouwens," veranderde ze van onderwerp. Ze probeerde achteloos te praten. „Dat met Koos is over, hoor. Hij belde gisteren en ik heb er meteen een punt achter gezet."
Monica schoot omhoog en zakte meteen met een pijnlijk gezicht weer terug. „Toch niet om mij?"
„Nee, om hemzelf," verklaarde Han rustig. „Zijn manier van

reageren beviel me niet zo. Praat er verder maar niet meer over."
Monica keek opmerkzaam naar Hans gezicht, dat nu gesloten en afwijzend stond.
„Vind je het erg?" vroeg ze zacht.
Han haalde haar schouders op en antwoordde luchtig: „Welnee, uit het oog, uit het hart. Je weet toch hoe ik ben?"
„Daarom juist. Ten opzichte van mannen ben jij lang niet zo hard als je je voordoet. En met al die avontuurtjes van je zal het ook wel meevallen."
„Nou..." Han grinnikte. „Ik ga toch wel vrij regelmatig met verschillende mannen uit, maar ik neem ze lang niet allemaal mee naar huis, nee. Het moet dan toch wel klikken tussen ons en ik moet het idee hebben dat er een tijd lang een leuke relatie uit voortkomt. Een huwelijk hoeft voor mij niet, maar een stevige, intieme vriendschap met een leuke man zie ik wel zitten."
„En dat ging nu niet," concludeerde Monica.
„Koos was een vergissing van me, dat komt ook wel eens voor. Laat de mensen ondertussen maar lekker denken wat ze willen, daar trek ik me niets van aan. Een slechte reputatie is nu eenmaal snel opgebouwd, daar hoef je niet veel moeite voor te doen."
„Ik zou toch niet graag willen dat iedereen denkt dat ik er maar op los leef," zei Monica eerlijk. „Als alleenstaande moeder ben je wat dat betreft toch al kwetsbaar, ook tegenwoordig nog. Ik weet dat bepaalde mensen toch wel over me roddelen, maar ik pas ervoor om dat soort praatjes extra aan te wakkeren door uitdagend gedrag."
„Ik trek me er niets van aan," herhaalde Han. „De mensen die me echt kennen, weten dat het wel meevalt, de rest interesseert me niet. En laten we eerlijk wezen, echt vies ben ik er ook niet van. Als ze ooit iets uitvinden wat lekkerder is dan seks, dan hou ik het er toch bij als hobby."
Ze schoten eensgezind in de lach, wat Monica weer nieuw gekreun ontlokte.
„Auw, mijn arme hoofd. Wil je er aan denken dat je met een arme, zielige patiënt aan het praten bent?"
„Ik zal er in het vervolg rekening mee houden," beloofde Han quasi-deemoedig.

De bel die het einde van het bezoekuur aankondigde rinkelde en lachend namen de vriendinnen afscheid van elkaar.
Han zag niet hoe Monica als het ware in elkaar zakte toen ze weg liep. Ze was uitgeput van het vrolijke doen alsof. Omdat ze Hans onnodige schuldgevoelens begreep, wilde ze niet laten merken hoe ze zich werkelijk voelde. Ze sloot haar ogen en zakte weg in de kussens, maar kwam nog geen minuut later weer zwetend overeind. Die auto, die lichten... Ze kwamen recht op haar af! Ze gilde en meteen realiseerde ze zich dat ze niet op de fiets zat, maar in het ziekenhuis lag. Het was voorbij, ze was veilig.
Eén van de andere patiënten vroeg of ze een verpleegster moest bellen, maar Monica schudde haar hoofd. Hier hielp toch niets tegen, ze moest zelf over die angst heen zien te komen. Een angst, die momenteel heel haar gedachten beheerste. Niet alleen over het ongeluk, maar ook de twijfel of haar been weer helemaal in orde zou komen en de onzekerheid over wat Koos van plan was met Chantal, wat er tenslotte de directe oorzaak van was dat ze hier lag. Ze moest er zo snel mogelijk met Carrie over praten, die wist vast zijn beweegredenen wel.

HOOFDSTUK 7

Met een zwaar, bonkend gevoel in haar hoofd begon Carrie aan een nieuwe dag. Eén met dezelfde handelingen als gisteren en eergisteren en die ook hetzelfde zouden zijn als alle dagen die nog volgden. Ze voelde zich de laatste tijd meer robot dan mens, alles deed ze automatisch. Alleen de aandacht en zorg voor de kinderen, dat was het enige waar haar hart bij betrokken was. Haar drie kinderen waren haar alles. Die, plus de drank, hielden haar op de been. De drank diende als compensatie voor alles wat ze miste in haar leven, maar dat besefte Carrie zelf niet. Toch kon ze voor zichzelf niet langer ontkennen dat ze ongelukkig was. Vlak na de scheiding had alles zo simpel geleken. Ze hoefde geen rekening meer te houden met Lex, er waren geen spanningen meer en de bijna dagelijkse ruzies hoorden tot het verleden. Sinds ze uit elkaar waren hadden Carrie en Lex zelfs een soort vriendschap opgebouwd. Door de kinderen zagen ze elkaar nog regelmatig en Carrie was er de vrouw niet naar om de kleintjes van hun vader te vervreemden. Lex stond altijd voor zijn zoons en dochter klaar en Carrie kon ook op hem rekenen als dat nodig was. En juist dat maakte het leven zo moeilijk voor haar.
Nu ze hem vanaf een afstand bezag, wist ze pas hoe ze het vroeger getroffen had met hem. Lex was een man uit één stuk, iemand waar je als echtgenote op kon bouwen. En dat miste ze nu, nu ze hem kwijt was. Voorgoed, vreesde ze, want hij gaf geen enkele aanleiding om te denken dat hij ook nog van haar hield. Maar hoe kon ze een leven zonder hem opbouwen als ze hem nog zo vaak zag?
Praktisch iedere avond zat ze alleen thuis als de kinderen in bed lagen en de verleiding van de flessen in de bar was dan wel héél groot. Het was geen oplossing, dat wist ze zelf ook heel goed, maar het maakte alles voor een paar uur minder zwaar. De problemen leken lichter en zelf werd ze vrolijker. Tijdens die momenten voelde ze zich prima. Tot de volgende dag, als ze opstond met een barstende hoofdpijn. Iedere morgen nam Carrie zich voor om te stoppen met drinken, maar tijdens haar stille, eenzame avonden bezweek ze toch weer voor de verleiding en vond ze dat ze best één glaasje mocht hebben. Jammer genoeg

bleef het daar niet bij en begon de hele cyclus weer opnieuw.
Voor de buitenwereld hield ze het goed verborgen, zelfs haar vriendinnen wisten het niet. Ze zagen wel dat het de laatste tijd niet zo goed ging met Carrie, maar konden in de verste verten niet vermoeden waar dat aan lag. En Carrie, wiens eigenwaarde toch al niet zo sterk ontwikkeld was en die nu helemaal een hekel aan zichzelf kreeg, paste er wel voor op dat ze het niet te weten kwamen. Voor geen prijs wilde ze het clubje vriendinnen verliezen, daarvoor betekende het te veel voor haar.
Zo stonden de zaken ervoor op deze druilerige, sombere ochtend. De regen striemde langs de ruiten en Carrie had het gevoel dat zelfs het weer haar in de steek liet. Het was lente, maar dat was alleen maar aantoonbaar op de kalender, beslist niet door het weer. Zuchtend stond ze op en begon aan haar gebruikelijke ochtendbezigheden zoals de tafel dekken, brood klaarmaken en de kinderen wassen en aankleden. Zelf nam ze een vluchtige douche. Carrie deed de laatste tijd niet veel meer aan lichaamsverzorging. Ze was schoon, maar daar was dan ook alles mee gezegd. Ze zag er beslist niet aantrekkelijk of goed verzorgd uit.
Zodra de kinderen naar school waren maakte ze het bad voor Bas klaar en gaf hem een bord pap. Na dit ritueel sliep hij weer een paar uur en Carrie begon lusteloos aan haar huishoudelijke werk. Bah, de sleur van iedere dag dezelfde handelingen ging haar tegen staan. Ze zou iets anders willen doen buiten haar huishouden om, iets nuttigs, maar wat? Een baan lokte haar niet en bovendien had ze geen enkele opleiding of ervaring, dus iets interessants was er voor haar toch niet te vinden.
Stipt om halfelf schonk ze haar eerste kop koffie in en even aarzelde ze bij de bar. Zou ze...? Nee, niet doen, hield ze zichzelf voor. Niet 's morgens al beginnen, dan wordt het alleen maar erger.
Ze liep de bar voorbij en voelde zich uiterst voldaan. Zie je wel, dacht ze, zo erg is het niet met me. Ik kan er best vanaf blijven...

Ook met Monica ging het niet zo best. Ze had een gesprek met de dokter gehad, die haar verzekerde dat haar been weer helemaal in orde zou komen, maar dat het wel zijn tijd nodig had.
„Voorlopig blijft het nog in het gips en daarna moet u zeker nog

wel op een paar maanden revalidatie rekenen. Het is een vrij gecompliceerde breuk," zei hij op een irritante, opgewekte toon. Hij trok er ook nog een vrolijk gezicht bij en Monica had hem met liefde door elkaar kunnen rammelen.
De komende maanden lagen als een groot, zwart vlak voor haar. Normaal gesproken was ze niet zo pessimistisch gestemd, maar het ongeluk had haar volkomen uit haar evenwicht gebracht. Bovendien bleef ze piekeren over Koos, omdat ze nu niets anders te doen had. Haar verbeelding ging door gebrek aan bezigheden met haar op de loop en in gedachten zag ze zichzelf al alleen thuis zitten terwijl Chantal bij Koos woonde. Daarbij kwam nog de pijn die ze had en de nachtmerries over het ongeluk die ze 's nachts beleefde. Alles bij elkaar voelde ze zich diep ongelukkig. In één klap was haar kalme, regelmatige leven veranderd in een chaos die werd overheerst door angst.
Met Han wilde ze er niet over praten omdat het onderwerp 'Koos' toch vrij gevoelig lag tussen hen. Nee, ze moest wachten op Carrie, die vanavond zou komen met Chantal. Monica hoopte dat er verder niemand kwam, zodat ze ongestoord konden praten over datgene wat haar het meest bezighield. Misschien was er helemaal niets aan de hand, probeerde ze zichzelf gerust te stellen. Maar waarom dan die belangstelling ineens voor zijn dochter, kwam een ander stemmetje in haar hoofd weer hardnekkig zeuren.
Monica werd uit haar gepieker gehaald door een verpleegster die binnenkwam met een fruitmand, een bloemstuk en een grote doos chocola.
„Kijk eens mevrouw Martins, dit is allemaal voor u bezorgd. Er zit ook een brief bij." Ze overhandigde Monica een envelop en stalde de spullen zorgvuldig uit op het nachtkastje. „U kunt niet klagen over gebrek aan belangstelling hè?" De verpleegster knikte haar even hartelijk toe voor ze de kamer weer verliet.
Verbaasd keek Monica naar de afzender achter op de envelop. D. Moerkerk. Vreemd, ze kende niemand met die naam. Zou het wel voor haar zijn? Ja, haar naam stond duidelijk vermeld. Ze begon de brief te lezen en het bloed trok weg uit haar gezicht. Het was slechts een kort briefje.
'Beste mevrouw Martins, ik ben de man die u zaterdagavond aan-

gereden heeft en ik kan u niet zeggen hoe vreselijk het me spijt. Geloof me, dit is me nog nooit eerder overkomen en het zal me niet meer gebeuren ook. Ik was op dat moment totaal de kluts kwijt en wist niet wat ik deed. Ik hoop dat u het me kunt vergeven, maar ik heb er begrip voor als dat niet mogelijk is. Ik wens u het allerbeste en een spoedig herstel. Nogmaals, het spijt me ontzettend, meer dan ik ooit duidelijk zal kunnen maken. D. Moerkerk.'

Woedend frommelde Monica het briefje tot een prop. Wat een lef! Dacht hij zijn schuldgevoel soms om te kunnen kopen door een paar cadeautjes te sturen? Het was makkelijk om te schrijven dat je spijt had, maar wie garandeerde haar dat hij dat ook meende? Waarschijnlijk deed hij het alleen om een goede beurt bij de politie te maken, om aan te tonen dat hij vol goede wil was. Bah!

Monica was zo kwaad dat ze alle redelijkheid uit het oog verloor, maar ze onderging het briefje en de daarbij behorende presentjes echt als een vernedering. Als hij zelf was gekomen en haar recht in de ogen had gekeken bij het aanbieden van zijn excuses, zou ze het geaccepteerd hebben, maar dit vond ze onbeschoft. Ze belde de verpleegster en verzocht haar alles weer mee te nemen.

„Maar waarom? En wat moet ik ermee doen?"

„Terugsturen naar de afzender," antwoordde Monica grimmig. „Ik stel er echt geen prijs op."

„Maar we weten geen adres," wierp de verpleegster tegen. „Het werd net afgegeven door een oudere vrouw."

Ook dat nog! Zelfs het fatsoen om het zelf af te leveren had die D. Moerkerk niet eens!

„Geeft u het dan maar aan andere patiënten, mensen die zelden of nooit bezoek krijgen." Monica werd ongeduldig en dat klonk duidelijk door in haar stem. „Als die spullen hier maar verdwijnen voor ik ze uit het raam gooi!"

De verpleegster nam dit dreigement serieus en haalde alles snel weg. De andere patiënten hadden alles aandachtig gevolgd en de nieuwsgierige vragen vlogen nu op haar af. Kort gaf Monica uitleg en sloot zich af voor het commentaar en de discussie die haar woorden uitlokten. Wat kon het haar ook eigenlijk schelen? Er was nu maar één ding belangrijk en dat was Chantal. En het

genezingsproces aan haar been natuurlijk, maar ze zou met liefde haar hele verdere leven mank blijven lopen, als Chantal maar niet bij haar weggehaald werd.
Monica zuchtte en sloot haar ogen. Ze verlangde naar het bezoekuur, naar Carrie. Misschien zou die martelende onzekerheid dan verdwijnen.

Carrie had zich met moeite door de dag heengesleept. De uren kropen voorbij en de bar kreeg een steeds grotere aantrekkingskracht. Om kwart voor drie hield ze het niet meer vol. Eén glaasje maar, dat moest kunnen. Staande bij haar wandkast dronk ze met kleine, genietende slokjes het glas leeg en ze voelde zich meteen een stuk beter. Opgewekt ruimde ze het glas op en kleedde Bas en Tina aan om Remco uit school te halen. Normaal kwam hij alleen naar huis, maar Carrie had echt zin in een wandelingetje. Ze voelde zich goed nu. Het feit dat ze zich pas zo voelde na een hoeveelheid alcohol, maakte haar totaal niet ongerust. De laatste tijd besefte ze wel eens dat ze verkeerd bezig was en ze was soms bang dat het uit de hand zou lopen, dat ze zich niet meer onder controle kon houden, maar vandaag had ze helemaal geen last van dergelijke gevoelens. Integendeel, ze was heel voldaan over zichzelf. Vanmorgen had ze bewezen dat ze er heel goed vanaf kon blijven en nu bleek dat ze best eens gewoon één glaasje kon drinken, zonder dat ze door bleef gaan.
Het weer was ook opgeknapt; het was droog en er scheen zowaar een mager zonnetje. Vrolijk babbelend met Tina, met een kraaiende Bas in de kinderwagen, liep Carrie richting school. Tina stortte zich op het schoolplein meteen op de aanwezige glijbaan terwijl Carrie zich bij de wachtende moeders voegde. Nu ze Remco niet meer iedere dag bracht en haalde, was het contact met de andere vrouwen een stuk minder geworden en ze vond het gezellig om weer eens bij te kletsen.
Precies om halfvier ging de bel en even later kwam Remco, samen met een vriendje, op haar toe hollen.
„Hoi mam, waarom ben jij hier?"
„Ik had zin om een eindje te lopen, dus leek het me een goed idee om je op te halen."
„Tante Carrie, mag Remco bij mij spelen en eten en slapen?"

Jaap, het vriendje van Remco, keek haar met smekende ogen aan en Carrie schoot in de lach.
„Toe maar, jullie zijn nogal wat van plan. Mag dat van je moeder?"
Jaap knikte vol overtuiging. „Dat mag toch altijd?"
Dat was waar. Jaap en Remco waren onafscheidelijk en het gebeurde regelmatig dat ze bij elkaar logeerden, hoewel Jaap maar één straat verder woonde. Hij bezat geen broertjes of zusjes en zijn moeder zette haar huis wijd open voor zijn vriendjes.
„Weet je wat? Ik loop wel even mee naar jouw huis, dan kunnen we het meteen vragen."
In optocht wandelden ze naar Jaaps huis, waar zijn moeder onmiddellijk haar toestemming verleende.
„Is het niet te lastig, zo onverwachts?" informeerde Carrie nog, maar haar bezwaren werden weggelachen.
„Welnee, Remco is een leuke knul. Ik vind het wel gezellig."
Jaap en Remco liepen nog even mee terug om Remco's spullen op te halen en verdwenen daarna meteen weer.
„Waar is Remco nou?" wilde Tina weten.
„Bij Jaap, schat," antwoordde Carrie afwezig.
Haar opgewekte stemming begon langzaam te verdwijnen en maakte plaats voor een loodzwaar gevoel in haar hoofd. Zonder goed te beseffen wat ze deed schonk ze zichzelf een glas martini in en daarna nog één. Tina zeurde om een spelletje, maar Carrie had op dat moment geen moed om zich met haar kinderen bezig te houden. Ze wilde alleen zijn.
„Nu niet, het is al veel te laat," zei ze. „We gaan eten en dan moeten jullie naar bed."
Ze maakte voor Tina een boterham en voerde Bas snel een potje. Om kwart over vijf lagen de kleintjes al in bed en Carrie hing op de bank met een fles naast zich. Dit was niet goed, dat wist ze. Maar wat maakte het eigenlijk uit? Een gevoel van zelfmedelijden nam bezit van haar. Er was toch niemand die om haar gaf. Ze had net zo goed niet kunnen bestaan.

Tegen zevenen wachtte Monica vol spanning op het moment dat het bezoekuur zou beginnen. Carrie was altijd nogal punctueel, dus ze had goede hoop dat ze als eerste binnen zou komen en ze even gelegenheid hadden om te praten. Precies om zeven uur

ging de deur open, maar Monica constateerde teleurgesteld dat het bezoekers voor anderen waren. Na tien minuten was Carrie er nog niet en begon Monica ongerust te worden. Er zou toch niets met Chantal aan de hand zijn?
Weer kwamen er bezoekers binnen, nu waren het twee collega's van Monica en even later arriveerde Tinie ook nog. De drie vrouwen voerden een hele conversatie, maar Monica had moeite om haar aandacht erbij te houden.
Waar bleef Carrie?

Stella had zo'n dag achter de rug waarop alles tegen zat. De kinderen liepen constant te kibbelen, één van haar mooiste vazen was gebroken en bij de supermarkt was het zo verschrikkelijk druk, dat toegangsdeuren een halfuur gesloten werden en er eerst een grote stroom mensen afgeholpen was. Daarna kon Stella pas naar binnen. Met een stevige hoofdpijn kwam ze ruim een uur later thuis. Tot overmaat van ramp brandden haar aardappels ook nog aan. Omdat ze dat gruwelijk vond smaken, schilde en kookte ze maar nieuwe. Alles bij elkaar aten ze een uur later dan gewoonlijk, maar door alle toestanden had Stella de tijd niet zo gauw in de gaten.
Ze liet de afwas lekker staan en zette koffie. Pas om kwart over zeven, toen ze genoot van haar welverdiende kop koffie, realiseerde ze zich dat Carrie al een halfuur te laat was om Chantal op te halen voor het ziekenhuisbezoek. Wat raar. Zou ze het vergeten zijn? Ze belde haar op, maar het duurde een hele tijd voordat er opgenomen werd.
„Hallo," klonk het onduidelijk aan de andere kant van de lijn.
„Met Stella. Waar blijf je nou? Het bezoekuur is allang bezig."
„Moet ik bij jou op bezoek?"
„Carrie, wat is er aan de hand? Ben je ziek?" vroeg Stella ongerust. „Je zou met Chantal naar Monica gaan."
„O ja, ik ben het vergeten. Ik ben ziek, ja. Heel ziek." Carrie greep Stella's woorden dankbaar als excuus aan. „Zeg maar dat ik niet kan, ik ga mijn bed in."
Ze verbrak de verbinding. Stella keek verbijsterd naar de hoorn, waar nu de in gesprektoon uit weerklonk. Hier klopte iets niet. Dit was niets voor Carrie, zo goed kende ze haar wel. Impulsief

besloot Stella om naar Carrie toe te gaan. Ze hadden alle vier een sleutel van elkaars huis in geval van nood en die nam ze in ieder geval mee. Gelukkig was de buurvrouw bereid om een uurtje bij de kinderen te blijven en Han, die ze telefonisch gewaarschuwd had, beloofde naar het ziekenhuis te rijden om Monica in te lichten dat Carrie niet kon komen.
Stella had inderdaad de sleutel nodig, want op haar herhaaldelijke bellen werd niet open gedaan. Ongerust liep ze naar binnen, bang voor wat ze aan zou treffen. Gelukkig viel het op het eerste gezicht erg mee. Carrie lag op de bank te slapen en de kinderen lagen keurig verzorgd in hun bedjes, ook in diepe rust. De lege fles was onder de bank gerold, dus die zag Stella niet en een glas op tafel was tenslotte niets ongewoons. Pas toen ze zich over Carrie heenboog om haar wakker te maken, rook ze de doordringende alcoholgeur die uit haar mond kwam.
Alcohol? Bij Carrie? Dat was zo ongerijmd dat het even duurde voor het goed tot Stella doordrong. Met moeite lukte het haar om Carrie te wekken en die was niet eens verbaasd om Stella te zien.
„Hoi," zei ze suf.
„Carrie, je bent dronken!" Stella's stem was vol afschuw.
„Dronken? Nee hoor, ik voel me prima. Ik ben ziek," herinnerde Carrie zich opeens.
„Je stinkt naar de alcohol. Kom op, ga je wassen, poets je tanden en duik je bed in."
Stella hielp Carrie overeind en steunde haar op de trap naar boven. Er spookten tientallen gedachten en vragen in haar hoofd, maar ze begreep dat Carrie nu niet in staat was tot een gesprek. Alsof het een klein kind betrof kleedde ze haar uit en dekte haar toe. Carrie viel weer als een blok in slaap en met een hoofd vol zorgen liep Stella terug naar haar eigen huis. Wat was er met Carrie aan de hand? Dronk ze al langer of was het vanavond voor het eerst? Voor iemand die geen alcohol gewend was kon één glas natuurlijk al funest zijn, maar de lucht die om Carrie heen hing deed Stella het ergste vermoeden. Het leek haar sterk dat dat van één of twee glazen kwam.

HOOFDSTUK 8

Han ging zo snel mogelijk naar het ziekenhuis, maar redde het niet voor acht uur, zodat de bezoektijd al afgelopen was toen ze de betreffende afdeling opkwam. Ze legde een verpleegster uit wat er aan de hand was en kreeg toestemming om nog even naar Monica toe te gaan.

„Ze zal zich wel ongerust maken, dus ga maar gauw. Wil jij dan een glaasje limonade?" wendde de verpleegster zich tot Mirjam. Ze knipoogde nog even naar Han en troonde Mirjam mee naar de keuken.

Monica kwam meteen overeind toen Han onverwachts binnen kwam. „Han! Is er iets gebeurd? Alles goed met Chantal?"

„Kalm aan, meid. Er is niets aan de hand. Carrie is ziek geworden en ze voelde zich zo beroerd dat ze helemaal vergeten is dat ze naar je toe zou komen."

Als een lekke ballon zakte Monica weer terug in de kussens. „O, wat ben ik blij dat dat alles is. Ik had het niet meer van de zenuwen toen ze maar niet kwamen." Ze veegde driftig een paar opkomende tranen weg. „Sorry hoor, maar ik was zo ongerust."

„Geeft niks, gelukkig valt het mee." Han pakte er een stoel bij en ging zitten. „Pieker je soms ergens over?" vroeg ze toen ronduit. „Ik vind het niks voor jou om zo te reageren."

Monica knikte en in één woordenstroom kwamen al haar zorgen eruit.

Han schrok. Zij had Monica verteld dat Koos regelmatig contact had met Carrie over Chantal, maar ze had er geen moment bij stilgestaan dat Monica zo ver door zou denken. Tenslotte was het nooit de bedoeling van Koos geweest om Chantal op te voeden. Dat zei ze dan ook onmiddellijk. Woordelijk vertelde ze het gesprek met Koos, waarin hij verklaard had beslist geen kinderen te willen.

„Hij denkt er nog net zo over als een paar jaar geleden," verzekerde Han. „Trouwens, al zou hij het willen, dan zou geen ene rechter hem het kind toewijzen. Hij heeft bij jullie scheiding afstand van Chantal gedaan en haar ook nooit bezocht of zo, dus dat zou hij nooit voor elkaar krijgen."

„Zou je denken?" vroeg Monica.

„Ik weet het zeker," zei Han opgewekt. Ze had totaal geen verstand van dergelijke zaken, maar vond op dit moment een leugentje om bestwil wel op zijn plaats.
De verpleegster kwam de kamer binnen met Mirjam. „U moet nu afscheid nemen, mevrouw. U bent veel te lang gebleven," zei ze een beetje ontstemd.
„Niet boos worden, ik heb zojuist het beste nieuws sinds jaren gehoord," zei Monica stralend.
Ze zwaaide Han en Mirjam uitbundig na en strekte zich behaaglijk uit, voor zover dat mogelijk was met haar been. Er was een enorme last van haar schouders afgevallen. Voor het eerst sinds dagen voelde ze zich lekker slaperig worden en met het heerlijke besef dat alles in orde was met haar dochtertje sliep ze in.

De volgende morgen werd Carrie, zoals zo vaak de laatste tijd, wakker met een gigantische hoofdpijn. Ze begon een hekel aan zichzelf te krijgen, maar in plaats dat dat gevoel haar hielp, maakte dat het juist alleen maar erger. Uit onvrede begon ze weer te drinken en de cirkel werd op die manier steeds weer gesloten.
Ze vroeg zich af hoe ze in haar bed beland was. Het laatste wat ze zich kon herinneren was dat ze op de bank zat. Wacht eens, er was ook nog opgebeld... Wie was dat ook alweer geweest? Langzaam kwam de vorige avond weer terug in haar herinnering. Stella was ook nog langs geweest, wist ze nu weer. Vaag kon ze zich nog voor de geest halen dat die haar in bed geholpen had. Het schaamrood steeg Carrie naar de kaken. Ze begreep heel goed dat hier het laatste woord nog niet over gesproken was, dat Stella er in ieder geval op terug zou komen. Al was het alleen maar voor het feit dat ze hun afspraak vergeten was. Maar hoe moest ze haar gedrag tegenover haar vriendin verklaren?
Geen moment dacht Carrie eraan om de waarheid te vertellen en om hulp te vragen. Nee, haar gedrag moest tegen elke prijs verborgen blijven, ze wilde haar nog maar pas verworven vriendinnen niet verliezen. De aanval was in dit geval de beste verdediging, besloot Carrie. Ze zou straks gewoon naar Stella toegaan en er zelf over beginnen. Het moest lukken om haar te laten denken dat dit een eenmalige gebeurtenis was, iets wat iedereen kon overkomen.

Zodra Remco naar school was bracht Carrie haar voornemen ten uitvoer. Er was vandaag geen peuterspeelzaal, dus ze nam Tina en Bas allebei mee. Zenuwachtig drukte ze op de bel en meteen nadat Stella de deur geopend had, begon ze geforceerd te praten.
„Ik kom even mijn excuus maken voor gisteravond. Stom hè, ik was het echt helemaal vergeten, maar ik voelde me ook zo beroerd. Ik had een borreltje genomen, iedereen zegt altijd dat dat helpt, maar ik ben bang dat dat helemaal verkeerd uitgevallen is. Dat komt ervan als je nooit wat drinkt natuurlijk. Het eerste glas hielp wel redelijk, dus toen dacht ik dat het wel een goed idee was om er nog eentje te nemen, maar achteraf was dat niet zo'n best plan. Mijn bloed sloeg meteen op hol." Druk pratend liep ze achter een zwijgzame Stella aan naar binnen.
„Koffie?" informeerde die nu kort.
„Ja, lekker. Gaan jullie maar in het kamertje spelen," zei Carrie tegen Eric, Tina en Chantal.
Ze stalde wat speelgoed voor ze uit en de drie kinderen stortten zich er vol overgave op. Ze speelden graag met elkaar en meestal ging het ook prima, op de gebruikelijke kibbelpartijtjes na. Bas sliep rustig in de kinderwagen, dus even later zaten Carrie en Stella samen in de huiskamer. Stella voelde intuïtief dat Carries verhaal niet klopte, maar ze zou niet precies uit kunnen leggen waar dat aan lag. Waarschijnlijk aan haar manier van praten. Dat drukke gedoe was niets voor haar.
„Weet je zeker dat dit de eerste keer was?" vroeg ze dan ook voorzichtig.
Carrie lachte schril. „Zeg, waar zie je me voor aan? Denk je soms dat ik avond aan avond in mijn eentje zit te zuipen?"
„Ik denk niets, maar ik weet hoe moeilijk je het af en toe hebt, tenslotte zitten we voor een groot gedeelte in hetzelfde schuitje. Uit ondervinding weet ik dat juist de avonden het ergste zijn, als de kinderen slapen en je niemand hebt om tegenaan te praten. Geloof me, ik heb ook vaak het gevoel dat de muren op me af vliegen."
„Natuurlijk, ik denk dat we daar allemaal wel eens last van hebben. Maar dat is nog geen reden om meteen een bacchanaal op te zetten. Dit was heus de eerste keer. En meteen de laatste, want ik heb er een flinke hoofdpijn aan overgehouden."

Het klonk oprecht genoeg, maar toch was Stella niet overtuigd. Ze voelde gewoon dat er iets niet klopte. Ze hoefde alleen maar aan Carries uiterlijk van de laatste tijd te denken om zeker te weten dat er iets mis was. Ze zag bleek, had vaak bloeddoorlopen ogen en flinke wallen.
Drie dingen die niet bepaald getuigden van een gezonde levensstijl.
„Drank is nooit een oplossing, zeker in moeilijke periodes niet, want je gaat al snel te ver." Stella probeerde haar woorden voorzichtig te formuleren. „Als je even in een zwart gat zit, kun je beter iemand opbellen en het van je af praten. Je weet dat je altijd op ons drieën kunt rekenen, al is het midden in de nacht." Ze keek Carrie recht aan en die knikte.
„Dat geldt andersom ook," antwoordde ze luchtig.
Ze vocht tegen de verleiding om Stella alles te vertellen, maar haar angst was te groot om over die drempel heen te stappen. Wel vertelde ze over haar opnieuw ontdekte liefde voor Lex, hoe zwaar het haar viel om hem regelmatig te zien zonder dat ze iets van haar gevoelens kon laten merken.
„Misschien denkt hij wel hetzelfde, maar wil hij jou ook niets laten merken," opperde Stella.
Carrie schudde echter mismoedig haar hoofd. „Dat lijkt me stug. We zijn destijds uit elkaar gegaan omdat de situatie in ons huwelijk ons, maar vooral hem, niet meer beviel. Sindsdien is er niets veranderd. Ik ben nog steeds moeder en huisvrouw, de kinderen eisen me helemaal op en daarbuiten heb ik niets. Het lijkt me onmogelijk dat hij weer van me gaat houden, want alles is hetzelfde gebleven."
„Zorg dan dat hij weer van je kan houden als je dat zo graag wilt. Ga iets doen wat helemaal buiten de sfeer van je huishouden ligt. Zoek desnoods een baan of vrijwilligerswerk. Heus, er is genoeg te doen," raadde Stella haar aan. „Je hebt het helemaal zelf in de hand. Als Lex tenminste niet de enige reden is, je moet het zelf willen."
„Ik wil niets liever," verzuchtte Carrie. Afwezig stak ze een sigaret op. „Ik loop al een tijd rond met de gedachte om iets te gaan doen, maar ten eerste weet ik niet wat en ten tweede weet ik niet hoe ik het moet realiseren met drie kinderen."

„Een oppas is altijd te vinden. Je weet dat we achter je staan en je willen helpen."
„Ja, maar jullie hebben alle drie je werk. Ik ben de enige die niets presteert."
Er gleed een eenzame traan langs Carries wang. Stella zag het, hoewel Carrie meteen haar hoofd omdraaide.
„Ik ga even bij de kinderen kijken," zei Stella haastig.
Ze liep de kamer uit zodat Carrie de gelegenheid had om weer wat tot zichzelf te komen. Ze kreeg steeds meer inzicht in Carries problemen en begon zelfs te begrijpen waarom ze naar de fles greep, hoewel ze haar er in eerste instantie om veroordeeld had. Niet dat ze het goedkeurde, dat zeker niet, maar ze zat inderdaad in een moeilijke positie. Het leven wat ze nu leidde, bevredigde haar niet meer, maar er was moed en kracht voor nodig om je bestaan zo om te gooien dat je weer plezier in je bezigheden kon hebben. Die kracht kon Carrie in haar eentje niet opbrengen en dat was iets wat Stella zeer goed begreep. Zelf zou ze het na Erics dood ook niet gered hebben als haar familie haar niet zo goed geholpen had. En Carrie had van die kant niet veel steun te verwachten.
Stella schonk limonade in voor de kinderen en koffie voor haarzelf en Carrie. Na die bezigheden kwam ze terug in de kamer. Bas was wakker geworden en zat op Carries schoot vrolijk in het rond te kijken.
„Ach, wat een heerlijk ventje is het toch," zei Stella meteen vertederd. „Geef mij hem even." Ze liet hem paardje rijden op haar knieën en Bas gaf door middel van luid gekraai te kennen dat dat hem best beviel. Van een serieus gesprek kwam niets meer. Tina hoorde haar broertje en kwam luidruchtig de kamer binnen stormen om haar deel van de aandacht op te eisen en Eric en Chantal volgden al snel. Het werd meteen een dolle boel in de kamer.
Bij het weggaan probeerde Stella Carrie nog een hart onder de riem te steken door haar op haar kinderen te wijzen.
„Weet je, ze kunnen je soms wel eens belemmeren, maar je bent nooit écht eenzaam als je kinderen hebt. Het is zo'n enorm kostbaar bezit, dat moet je koesteren."
Carrie knikte wel, maar Stella had niet het idee dat ze haar echt geholpen had. Het leek wel of ze een muur om haar heen had

staan, één waar je heel moeilijk doorheen kon breken, dacht Stella. Niemand wist precies wat er in haar omging, al had ze dan nu eindelijk gepraat over wat haar bezighield. Maar Stella had sterk het gevoel dat Carrie dat voornamelijk gedaan had om haar aandacht af te leiden van het werkelijke probleem: haar alcoholgebruik. Of liever gezegd, alcoholmisbruik. Stella wist zeker dat Carrie daarover gelogen had.

Het probleem liet haar de hele dag niet los en herhaaldelijk stond ze in tweestrijd of ze het aan Han moest vertellen. Eigenlijk vond ze dat ze daar het recht niet toe had, maar Carrie had overduidelijk alle hulp nodig die ze kon krijgen en dat argument gaf voor Stella de doorslag. Nog diezelfde avond belde ze Han op en deed uitgebreid alles uit de doeken.

„Tjee, dus onze Carrie is stiekem aan de drank. Wat een gluiperd," was Hans commentaar.

„Han! Ze heeft het moeilijk."

„Wie niet? Sorry dat ik even uitschoot hoor, maar ze doet zich altijd zo onkreukbaar voor, de heiligheid zelf. En ondertussen doet ze dit. Zo zie je maar weer, stille wateren hebben diepe gronden."

„Carrie zit ontzettend met zichzelf in de knoop en ze ziet nergens meer een lichtpuntje. Ze heeft dringend hulp nodig. Ga jij door met commentaar leveren of ga je haar die hulp aanbieden?" vroeg Stella kalm.

„Natuurlijk doe ik alles wat nodig is." Hans antwoord kwam zonder aarzelen. „Maar ik mag toch wel zeggen wat ik denk? Ik ga over een paar dagen wel een avondje naar haar toe, eens kijken of ik haar aan het praten kan krijgen. Als ik nu meteen ga, voelt ze zich waarschijnlijk gecontroleerd en volgens mij heeft dat alleen maar een averechtse uitwerking."

Met een glimlach legde Stella de hoorn weer op de haak. Ze wist wel dat ze op Han kon rekenen. Ze had een grote mond en gaf tegenover iedereen onverbloemd haar mening, maar ze stond altijd klaar om te helpen. Wat dat betrof was ze een goede voor hun verbond, ze wás er als je haar nodig had. Zonder grote woorden, maar met daadwerkelijke hulp.

Nu Stella aan hun verbond dacht, schoot haar ook de afspraak met Carrie weer te binnen die ze enkele weken geleden gemaakt

hadden, over de opvang van Eric en Stefan als zij weer ging werken. Eerlijk gezegd moest ze er op dit moment niet aan denken om haar kinderen onder Carries hoede achter te laten. Niet alleen voor de jongens, maar voor Carrie zelf werd het misschien ook teveel. Impulsief besloot Stella meteen om voorlopig helemaal geen werk aan te nemen. Tenslotte had ze nu ook de zorg voor Chantal en de regelmatige bezoeken aan Monica. En als ze genoeg om handen had was een baantje niet nodig, dan had ze toch geen tijd om te piekeren.
De dag erna bracht ze Stefan naar school en Eric en Chantal naar de peuterzaa. Daarvandaan ging ze meteen naar het uitzendbureau om haar situatie uit te leggen.
„U wilt u dus uit laten schrijven?" begreep de vrouw die haar te woord stond.
„Nou nee, dat niet, ik weet alleen niet wanneer ik weer een baan aan kan nemen. De eerste maanden in ieder geval niet, maar voor de rest kan ik er geen zinnig woord over zeggen."
„Het spijt me, maar dan moet ik u toch zolang uitschrijven. We kunnen geen onbeperkte lijst van medewerkers handhaven als ze toch niet beschikbaar zijn."
„Doet u dat dan maar," zei Stella een beetje kribbig.
Ze had er wel begrip voor, maar het oponthoud maakte haar nijdig. Ze wilde nog bij haar moeder langs en als dit nog lang duurde, loonde dat de moeite niet meer voor Eric en Chantal gehaald moesten worden.
De vrouw zocht haar gegevens op in de computer en maakte haar inschrijving ongedaan.
„We hebben altijd goede berichten over u gehad van uw tijdelijke werkgevers, dus als u wilt kunt u zich straks gewoon weer aanmelden. Mits er dan plaats is natuurlijk. Het gebeurt nog wel eens dat we een inschrijvingsstop in moeten voeren omdat we anders een té groot aanbod van mensen hebben."
Stella knikte alleen maar. Dat zag ze dan wel weer. Ze voelde zich de laatste tijd redelijk goed en hoopte in de toekomst die baantjes niet meer nodig te hebben om afleiding te vinden.
Ze stond op en wilde met een korte groet het gebouw verlaten, maar op dat moment kwam er een man binnen die haar deed verbleken. Hoe was het mogelijk, deze man leek sprekend op Eric!

Het had een tweelingbroer van hem kunnen zijn! Als verlamd bleef Stella staan en ze bleef de vreemde man met een ongelovige blik in haar ogen aanstaren.
„Is er iets mevrouw? Voelt u zich wel goed?" wendde de man zich nu bezorgd tot haar.
Stella's ogen werden wazig. „Eric!" fluisterde ze. Daarna werd alles zwart voor haar ogen en voelde ze zich alsof ze in een draaikolk terechtkwam. De man ving haar net op tijd op en hield haar stevig vast tot ze weer een beetje bij haar positieven kwam.
„Haal een stoel en een glas water," beval hij kort tot de receptioniste.
Stella had zich het liefst in zijn armen genesteld en haar armen om zijn hals willen slaan, maar ze was toch nog helder genoeg om zich te realiseren dat deze man Eric niet was, dat hij hem niet kon zijn. Duizelig liet ze zich met zijn hulp in de aangeschoven stoel zakken, maar het glas water weigerde ze. Ze zat zo te trillen dat ze niet in staat was om een slok te drinken. Deze schok was zo onverwachts gekomen dat ze eventjes helemaal van de kaart was, maar langzaamaan begon ze zich weer te herstellen. Ze haalde een paar keer diep adem tot ze zichzelf weer een beetje onder controle had en durfde de man daarna pas weer aan te kijken.
„Gaat het weer een beetje?" vroeg hij bezorgd.
„Ja, ik geloof het wel. Sorry voor de overlast, maar ik werd ineens zo naar."
„U hoeft zich niet te verontschuldigen, tenslotte valt u niet flauw voor de lol. Heeft u wel gegeten vanochtend?"
„Twee boterhammen. Weliswaar met moeite, maar ik moet wel. Als ik niet eet, krijg ik er bij mijn kinderen zeker niets in," zuchtte Stella.
Hij schoot in een ongedwongen lach en Stella constateerde dat zijn lach ook hetzelfde klonk als vroeger die van Eric. Deze precieze gelijkenis was gewoon eng!
„Kunt u weer staan? Ja? Mag ik u dan uitnodigen voor een kop koffie in mijn kantoor?" Zonder op haar antwoord te wachten, leidde hij haar naar een imposante kamer, waar een groot, eiken bureau een dominante plaats innam. „Mijn werkkamer," zei hij nonchalant.
Het duurde niet lang voor de gedienstige receptioniste met de

koffie binnenkwam, die ze op een laag tafeltje naast twee tot zitten uitnodigende fauteuils neerzette.
„Ik ben Jurgen Vermeulen," stelde hij zich nu voor. Zijn handdruk was warm en stevig.
Ook Stella noemde haar naam en accepteerde gretig een sigaret van hem. De eerste schok was ze nu wel te boven, maar ze voelde zich nog steeds verward. Aan de ene kant vond ze het heerlijk om met deze man in de beslotenheid van zijn kantoor te zitten en wenste ze dat dit heel lang kon duren, aan de andere kant zou ze wel weg willen vluchten. Hoewel haar verstand haar vertelde dat deze Jurgen iemand anders was dan Eric, sprak haar gevoel een andere taal. Het was net of ze haar overleden echtgenoot weer terug had, of die drie moeilijke, verdrietige jaren slechts in haar verbeelding hadden bestaan.
„Hoe kwam dat nou zo ineens?" wilde Jurgen weten. „Toen ik binnenkwam was er niets aan de hand en ineens streek je het vaantje."
Stella slikte. Ze vond het moeilijk om hem de waarheid te vertellen, maar ze kon zo snel geen andere aannemelijke verklaring vinden.
„Je lijkt op iemand die ik heel goed gekend heb," antwoordde ze vaag. Bij het zien van zijn vragende en belangstellende ogen, ging ze nerveus verder: „Je lijkt sprekend op mijn overleden echtgenoot, het was of ik een spook zag."
„Ze beweren dat iedereen een dubbelganger heeft, in mijn geval klopt dat dus," zei Jurgen alleen luchtig.
Stella was blij dat hij er niet dieper op inging en geen vragen stelde over haar verleden. Ze drong haar koffie op en kwam toen haastig overeind.
„Ik moet er weer vandoor. Bedankt voor de koffie." Ze schonk hem een warme glimlach.
Hij hield haar hand langer vast dan noodzakelijk was en keek daarbij diep in haar ogen.
„Misschien zien we elkaar nog eens. Het beste en niet meer van die rare toeren uithalen, hè?"
Met het gevoel of ze zweefde verliet Stella het gebouw. Ze wist vrijwel zeker dat deze Jurgen binnenkort contact met haar op zou nemen voor een nieuwe ontmoeting. Ze had het gelezen in

zijn ogen, die onverholen bewondering en belangstelling uitstraalden. Ze was er blij om. Haar toekomst bood weer nieuwe perspectieven en misschien....
Stella lachte stil voor zich heen. Wie weet wat er allemaal nog te gebeuren stond.

Nadenkend legde Han de hoorn van de telefoon neer. Ze had net Stella gesproken, die haar een enthousiast verslag had gegeven van haar ontmoeting die ochtend. Eerlijk gezegd was ze er niet gerust op. Stella was haar een beetje té vrolijk geweest en het gebeurde een paar keer dat ze zich vergiste en 'Eric' had gezegd in plaats van 'Jurgen'.
Han had sterk het gevoel dat Stella verwachtte de draad van drie jaar geleden weer op te kunnen pakken. Die zag zichzelf al met Jurgen leven zoals ze dat altijd met Eric gedaan had. En Han, met haar realistische kijk op dat soort zaken, zag het somber in. Jurgen was Eric niet. Uiterlijk leken ze dan misschien op elkaar, volgens Stella althans, maar het leek haar stug dat hun karakters ook overeen kwamen.
Han zuchtte. Hoe moest dit nou weer aflopen? Maar misschien zag ze het wel veel te donker in en was er verder niets aan de hand. Kom op meid, vermande ze zichzelf, ga eens wat doen.
Han pakte haar studieboeken bij elkaar, maar het lukte haar niet om zich op haar werk te concentreren. Het was nu zo'n vier maanden geleden dat ze met zijn vieren het verbond hadden gesloten en er was al heel wat gebeurd in die tijd. Eerst Stella die geen oppas meer had en daardoor haar werk kwijt dreigde te raken, toen het ongeluk van Monica, Carries drankzucht en nu dit weer. En zij, Han, werd overal voor opgetrommeld. Het leek wel of zij de enige was zonder problemen!
Ze dacht er over om uit het vriendinnenclubje te stappen, maar besefte tegelijkertijd dat ze dat niet zou kunnen. Daarvoor was hun vriendschap te hecht geworden in de loop der weken. Ze wist ook dat ze toch altijd klaar zou staan, ongeacht wat er nog zou gebeuren in de toekomst. Ach, en misschien heb ik hen ook nog wel eens nodig, bedacht Han alweer nuchter. Ze grinnikte even in zichzelf. Reken maar dat ze ze dan uit zou buiten!
Ze schonk iets te drinken in voor zichzelf en besloot die avond

haar studie lekker te laten liggen. Het lukte nu toch niet. Een kwartier later lag Han languit op de bank, een glas drinken en een schaaltje chocola binnen handbereik, lezend in een goed boek, wat al haar sombere gedachten verdreef.

HOOFDSTUK 9

Stella's raad had toch wel iets bereikt bij Carrie. Haar kinderen waren nu eenmaal het belangrijkste in haar leven en ze wilde hen niet te kort doen door haar drankgebruik. Een paar dagen lang was ze intensief met ze bezig en bedacht ze onvermoeibaar steeds weer nieuwe spelletjes om maar niet stil te zitten en in de verleiding te komen om te drinken. De avonden waren het moeilijkste, als de kinderen in bed lagen en het huis stil was. Vaak dacht Carrie dan aan Stella's aanbod dat ze kon bellen wanneer ze wilde, ook midden in de nacht. Ze maakte er geen gebruik van, maar het feit dat het kon, gaf haar al kracht genoeg om van de drank af te blijven.
Tot aan de vierde avond. Carrie had zich de hele dag al rusteloos gevoeld en 's middags nam ze ten einde raad een glas witte wijn. Eén klein glaasje maar, hield ze zichzelf, zoals steeds, voor. Ze had meteen de smaak weer te pakken. Die avond was een ware marteling voor haar. Om half acht lagen de kinderen al in bed, onder protest van Remco, en liep Carrie als een gekooid dier door de kamer. Ze belde Stella, maar kreeg geen gehoor en bij Han was het hetzelfde. Huilend smeet ze de hoorn weer neer. Zie je wel, het kon niemand iets schelen hoe zij zich voelde! Mooie woorden genoeg, maar als het erop aan kwam moest je het toch alleen doen. Fijne vriendinnen waren het hoor, als je ze nodig had, lieten ze je stikken!
Carrie draaide volkomen door, het kon haar niets meer schelen. Al haar onmacht, verdriet en onvrede met haar leven ontlaadden zich in één grote huilbui. Daarna liep ze als in trance naar de bar en begon te drinken. Net zolang tot ze niets meer voelde en dat was ook haar bedoeling. Ze wilde alles vergeten.

Han en Stella waren bij Monica op bezoek geweest en liepen nu samen het ziekenhuis uit.
„Ik breng je wel thuis, dat scheelt je weer een tramrit met drie kinderen," bood Han aan.
„Graag. Heb je dan geen zin om vanavond bij mij te blijven? Er komt straks een griezelfilm op tv en ik vind het nog steeds eng om daar alleen naar te kijken."

„Oké, dan leg ik Mirjam wel in jouw bed. Als je maar niet knijpt wanneer de film eng wordt."
In sneltreinvaart werden de kinderen gewassen, hun tanden gepoetst en in bed gelegd, zodat Stella en Han precies op tijd voor de tv zaten, de koffiepot tussen hen in. De film was inderdaad spannend en het gebeurde een paar keer dat Stella angstig achter Han wegkroop. Precies op een hoogtepunt, terwijl er onheilspellende muziek weerklonk, rinkelde de telefoon en Stella gaf een luide gil.
Han schoot in de lach. „Niets aan de hand, gewoon iemand die je wil spreken," zei ze nuchter. Ze pakte de hoorn en gaf die Stella in haar handen, want die was zo geschrokken dat ze geen aanstalten maakte om op te nemen.
„Tante Stella, met Remco," klonk een bibberig stemmetje. „Ik geloof dat mijn mama erg ziek is. Ze ligt op de grond en ze doet zo raar."
„Blijf rustig, tante Han is ook hier en we komen meteen naar je toe," zei Stella onmiddellijk. „Laat mama maar liggen." Ze legde neer en wendde zich tot Han. „Het was Remco, er is iets met Carrie."
„Dronken?"
„Dat vermoed ik wel, ja. Ik bel even de buurvrouw of ze de babyfoon aanzet, dan hoort ze hier alles." Ze belde de buurvrouw die beloofde op te zullen letten. Net toen ze op het punt stonden om weg te gaan rinkelde de telefoon opnieuw. „Verdorie, wat nou weer? Ja, met Stella."
„Hallo, met Jurgen Vermeulen. Ik wilde even weten hoe het met je gaat," klonk het opgewekt.
„Sorry Jurgen, ik heb nu geen tijd, er is iets met mijn vriendin aan de hand, ik moet erheen."
„Ach kom, een paar minuten maken toch niets uit? Heb je zin om morgen met me te gaan eten? Ik weet een leuk restaurantje."
„Dag Jurgen," zei Stella kort en nadrukkelijk.
Zonder verdere plichtplegingen verbrak ze de verbinding. Zo zou Eric nooit gereageerd hebben, schoot het door haar heen. Toen zette ze alle gedachten aan hem uit haar hoofd. Nu was alleen Carrie belangrijk, de rest kwam wel weer eens.
In een mum van tijd parkeerde Han haar wagen bij Carrie voor de

deur en Remco, die voor het raam had staan wachten, deed meteen open. Hij bibberde van de kou in zijn dunne pyjama en op blote voeten en er liepen twee sporen van tranen over zijn gezicht heen. Remco, normaal een drukke, ondeugende wildebras, was nu een angstig, klein jongetje, die zich aan Stella vastklampte.
„Mama is vast heel ziek," huilde hij.
„Welnee, dat valt best mee." Stella sloeg haar arm om hem heen en troonde hem mee naar boven terwijl Han de huiskamer inliep. „Iedereen is wel eens ziek, dat is helemaal niet erg. Weet je nog toen jij longontsteking had? Toen had je hele hoge koorts en gedroeg je je ook heel raar, maar na een paar dagen was je weer helemaal beter en wist je zelf nergens meer van. Zoiets heeft mama denk ik ook. Je zult zien dat het morgen al een stuk beter is."
„Echt waar?" Remco wilde maar al te graag geloven wat zijn tante Stella hem vertelde.
„Vast en zeker. En nu ga jij gauw je bed in, want je wordt veel te koud zo. Dan hebben we straks twee zieke mensen hier en dat kunnen we niet gebruiken."
„Laat je me dan niet alleen?"
„Ik ga nu naar beneden, maar vannacht blijft één van ons in ieder geval hier," beloofde Stella. „Probeer maar weer lekker te slapen, straks kom ik nog even bij je kijken." Ze stopte hem lekker onder en liep naar beneden, enigszins angstig voor wat ze daar aan zou treffen.
Han zat op de grond en wiegde een huilende Carrie, die slap tegen haar aanhing, als een kind heen en weer.
„Lex, Lex, waar ben je nou? Ik mis je zo. Ik hou van je Lex," snikte Carrie wanhopig.
Stella en Han keken elkaar aan met een blik van verstandhouding. Carrie was nu duidelijk volkomen doorgedraaid.
„Zet maar een pot sterke koffie," verzocht Han. „Ik weet ook niet of het helpt, maar we moeten toch iets doen. Misschien knapt ze er wat van op."
Stella verdween naar de keuken, blij dat ze iets om handen had. Toen ze later, met de koffie, terugkwam zaten Han en Carrie op de bank. Carrie leunde nog steeds tegen Han aan, volkomen uitgeput.

„Ik mis hem zo," zei ze nog eens. Het klonk intens verdrietig.
Han hielp haar met drinken en later legden ze haar in bed.
„En nu?" vroeg Stella zich hardop af. Ze zaten elkaar in de nu verder lege huiskamer een beetje moedeloos aan te kijken. „Er moet iets gebeuren, dat is wel duidelijk. Anders wordt dit van kwaad tot erger. Straks is ze alcoholiste."
„Of nu al." Han stond op en begon resoluut de laden van Carries bureau te onderzoeken.
„Han, wat doe je? Je kunt niet zomaar in haar spullen gaan snuffelen, daar heb je geen recht toe."
„Ik snuffel niet, ik zoek het adres van Lex. Het wordt hoog tijd dat ik eens met hem ga praten," antwoordde Han grimmig.
„Wat denk je daarmee te bereiken? Hij houdt nu eenmaal niet meer van haar en je kunt hem niet dwingen om opnieuw met Carrie te trouwen, alleen maar zodat ze dan van de drank afblijft."
„Nee, maar hij kan haar wel helpen. Tenslotte zijn het ook zijn kinderen die er de dupe van worden als het hier mis gaat. Een gesprek kan in ieder geval nooit kwaad, wie weet wat daar uit voortkomt. Ha, gevonden." Voldaan hield Han een adresboekje omhoog en ze schreef het adres van Lex snel over in haar eigen agenda. „Daar ga ik morgen meteen heen. Gelukkig is het weekend, dus ik hoef niet te werken."
„Maar wat doen we nu? Ik heb Remco beloofd dat één van ons hier blijft," herinnerde Stella zich.
Han knikte nadenkend. „Dat is inderdaad wel het beste. Ik weet niet of Carrie morgenochtend in staat is om voor de kinderen te zorgen en we kunnen ze niet aan hun lot overlaten. Als Mirjam vannacht bij jou kan blijven, dan blijf ik wel hier, dat lijkt me de beste oplossing."
„Goed, dan ga ik nu nog even bij Remco kijken. Breng jij me dan wel thuis?"
„Ja, dan kan ik gelijk wat spullen van mezelf ophalen."
Remco was gelukkig weer in slaap gevallen en Stella legde een briefje op het tafeltje naast zijn bed voor het geval hij wakker zou worden en niemand meer aantrof. Ze was bang dat hij dan in paniek zou raken, tenslotte had ze het beloofd.
Binnen drie kwartier was Han weer terug en ze installeerde zich

met een slaapzak op de bank. Eigenlijk tegen haar verwachting in viel ze toch snel in slaap. Carrie was de volgende morgen inderdaad nog niet aanspreekbaar, dus Han had het druk met de verzorging van de kinderen. Remco was nog steeds een beetje angstig, maar ze wist hem gerust te stellen met de mededeling dat zijn moeder griep had. Tina nam alles voor kennisgeving aan en Bas was nog te klein om iets te snappen. Hij schonk Han een stralende lach en ze genoot ervan om wat met de grote baby te tuttelen. Als ze zo bezig was realiseerde ze zich pas goed hoe snel de tijd ging en hoe gauw kinderen groot waren. Mirjam was al een hele jongedame met een eigen willetje. Nog een paar maanden, dan ging ze alweer naar de kleuterschool.
„Ja meid, je loopt al hard tegen de veertig," zei Han spottend tot zichzelf. „Nog maar vier jaar en die zijn zo om." Bas kraaide en lachte om haar woorden. „Lach jij me maar uit, lekkere oliebol. Wacht maar tot je zelf zo ver bent."
Han tilde hem uit zijn badje, droogde hem goed af en gaf hem tenslotte zijn eten. Daarna zat hij alweer te knikkebollen en binnen twee minuten sliep hij.
Tegen de middag kwam Carrie naar beneden. Ze zag bleek, maar die wanhopig trieste blik was uit haar ogen verdwenen. Ze wist duidelijk geen raad met haar houding toen ze Han ontwaarde.
„O, ben jij hier nog?" mompelde ze.
„Natuurlijk, je kinderen moeten toch verzorgd worden." Met het smoesje dat mama hoofdpijn had en rust moest hebben installeerde Han de kinderen op hun eigen kamer. „Zo, nu moeten wij eens praten. Hoelang denk jij nog zo door te gaan? Realiseer jij je wel wat je je kinderen aandoet?" Onder het motto 'zachte heelmeesters maken stinkende wonden' keek Han Carrie onverzettelijk aan, maar die sloeg haar ogen niet meer.
„Ja, dat weet ik heel goed. Nu wel, tenminste. Ik ben al een paar uur wakker en heb me in bed diep liggen schamen, geloof dat maar. Ik weet precies wat er gisteravond allemaal gebeurd is, als een film herhaalt dat zich steeds weer in mijn hoofd. Je kunt van mij wel aannemen dat dit nooit meer voor zal komen."
„Dat hoop ik dan maar," zei Han hard. „Maar garanties zijn daar natuurlijk niet voor."
„Jawel, ik hoor constant het wanhopige stemmetje van Remco in

mijn oren, dát is je garantie. Je weet hoeveel de kinderen voor me betekenen. Ik heb het recht niet hen dit aan te doen."
Het leek wel of Carrie boven zichzelf uitgegroeid was de laatste uren. Ze zag nu zelf de gevaren van haar gedrag in en was bereid om er iets aan te doen. Han hoopte van harte dat het haar zou lukken en dat Carrie in de sleur van alledag niet terug zou vallen. Hoewel, daar zag ze niet naar uit. Er was een nieuwe, vastberaden trek om haar mond en haar ogen stonden helder. Han had de enigszins zwakke Carrie nog nooit zo gezien en ze was er blij om. Misschien was die inzinking van gisteravond toch niet voor niets geweest en kwam ze er sterker uit tevoorschijn. Ze liet de drie kinderen nu in ieder geval met een gerust hart bij hun moeder achter en reed naar Stella om die op de hoogte te brengen. Daar vandaan ging ze meteen door naar Lex, in de hoop dat hij thuis zou zijn. Hij was er en hij keek verbaasd naar de vriendin van zijn ex-vrouw, die hij wel eens had gezien, maar waar hij nooit contact mee had gehad.
„Dag Lex, kan ik je even spreken?" vroeg Han kalmer dan ze zich voelde.
„Ja natuurlijk, kom binnen. Is er iets met Carrie of de kinderen?"
„Met Carrie. Ze heeft je nodig," viel Han direct met de deur in huis.
„O ja? Daar heb ik tijdens ons huwelijk niets van gemerkt. Hoe komt dat zo ineens?" vroeg hij cynisch. Hans directe manier van spreken overviel hem en hij wist niet goed hoe hij moest reageren.
„Wil je even rustig luisteren? Het is een nogal lang verhaal." Han vertelde hem hoe het met Carrie gesteld was. Haar onvrede, het gemis van hem, wat de kinderen niet op konden vullen, haar verlangen om iets nuttigs te doen met haar leven en tenslotte haar drankzucht. „Het gaat niet best met haar. Vanmorgen toonde ze zich heel wilskrachtig, maar ik ben bang dat dat niet lang duurt als er niets in haar levenspatroon verandert."
Lex had rustig naar haar pleidooi geluisterd, maar er verscheen een afwijzende trek op zijn gezicht.
„Wat verwacht je nu van mij?" wilde hij weten.
„Dat je haar helpt. Ze heeft steun nodig, in haar eentje redt ze het niet," zei Han rustig.

„Denk je dat ik daar de aangewezen persoon voor ben? We zijn gescheiden, Han. Buiten de kinderen om hebben we niets meer met elkaar te maken."
„Maar ze houdt nog van je. Doet dat je dan helemaal niets? Eens heb jij ook van haar gehouden. Kun je werkelijk met de hand op je hart verklaren dat ze je totaal onverschillig laat?"
Hij liet een bitter lachje horen. „Eens is lang geleden. Ik hou nog wel van haar, maar dan zoals ze vroeger was. Die Carrie van toen, die mis ik. Zodra de kinderen geboren werden veranderde ze. Niets was meer belangrijk voor haar, ook ik niet. Al haar liefde en zorg gingen naar hen, mij zag ze niet meer staan."
Han ontplofte bij die woorden. Ze ging staan en zei sarcastisch: „O, jullie mannen! Het is altijd hetzelfde liedje! Zo gauw het vrouwtje niet meer achter je aandraaft is ze ineens niet goed meer. Je wilde die kinderen zelf ook, neem ik aan, dan moet je je ook realiseren wat een enorme zorg en verantwoording het is. Het is logisch dat je als moeder zijnde niet meer vierentwintig uur per dag beschikbaar bent voor je echtgenoot, maar er zijn verdomd weinig mannen die dat begrijpen. Bah, je bent nog erger dan een klein kind. Vergeet maar dat ik hier geweest ben, Carrie zou inderdaad geen steun aan je hebben." Ze wilde woedend de kamer verlaten, maar Lex pakte haar bij haar schouders en duwde haar zonder meer terug in de stoel.
„Jij hebt je zegje gedaan, mag ik nu ook even?" Hij ging weer tegenover haar zitten, stak een sigaret op en vervolgde: „In de eerste jaren na ons trouwen waren we partners, ons huwelijk was geestelijk volwaardig en we stonden naast elkaar. Na de geboorte van Remco veranderde dat en toen Tina erbij kwam werd het nog erger. Ik werd volledig op het tweede plan geschoven. Ik had dan wel een veeleisende baan, maar droomde ervan om de kinderen samen op te voeden. In de weekeinden had ik tijd om met ze op te trekken, maar ik kreeg de kans niet. Alles moest volgens een strak schema en ik kreeg geen ruimte om van mijn eigen kinderen te genieten. Carrie was de hoofdpersoon in hun leven en dat wilde ze zo houden. Op een gegeven moment was de situatie zo dat ik alleen nog maar kostwinner was en toen ben ik opgestapt. Beter geen huwelijk dan één dat geestelijk niet volwaardig is. Wil je eigenlijk iets drinken?" Dat laatste vroeg hij

zonder enige overgang en Han moest even omschakelen.
„Nee, dank je. Sorry dat ik zo uitviel. Ik ken Carrie en weet dat je gelijk hebt, hoewel ik persoonlijk vind dat je het een beetje overdrijft. Ik ben dus voor niets gekomen?"
„Ik ga in ieder geval naar haar toe, maar ik weet eerlijk niet of ik iets voor haar kan doen. Zoals ik net al zei, ik mis de Carrie van vroeger, van haar hield ik verschrikkelijk veel. Maar ik ben bang dat die nooit meer bovenkomt."
„Nou, dat weet ik nog zo net niet," meende Han. „Ze is aan het veranderen. Ze realiseert zich nu dat de kinderen niet haar hele leven uitmaken, maar dat er ook een leegte is. Nu moet ze alleen nog iets vinden om dat gat te vullen en ik denk dat je dan al een heel eind in de buurt van die oude Carrie komt."
„Laten we het hopen,' zei Lex uit de grond van zijn hart. „In ieder geval bedankt dat je het verteld hebt. Ik ga vandaag nog naar haar toe."

Lex wachtte tot 's avonds, tot de kinderen in bed lagen, anders zou er van een serieus gesprek niet veel komen. Zodra Carrie hem zag wist ze hoe de vork aan de steel zat.
„Jij hebt met Han gepraat." Ze vroeg het niet, maar constateerde een vaststaand feit.
„Maakt dat verschil? Ik ben er, daar gaat het om. We moeten eens praten, Carrie. Moet dat aan de deur of mag ik binnen komen?"
Zwijgend ging ze opzij om hem erin te laten en even later zaten ze onwennig tegenover elkaar in de kamer. Als twee vreemden, maar tegelijkertijd zo vertrouwd.
„Als je komt om me de les te lezen, kun je je de moeite besparen, dat heb ik namelijk zelf al gedaan," zei Carrie strak.
Lex schudde zijn hoofd. „Ik heb niet het recht om jou te veroordelen, ik wil je helpen."
„Ben je daar niet een beetje laat mee?" Het klonk sarcastisch. „Iedereen wil me overal mee helpen, ik neem aan dat Han ook uit dat oogpunt naar jou is gegaan, maar dat is niet nodig. Ik weet nu zelf dat ik te ver ben gegaan en ben me er ook van bewust dat ik op het randje van de afgrond gebalanceerd heb, maar ik durf de consequenties onder ogen te zien en weet dat ik het aankan. Vorige week had ik hulp nodig en vorige maand en twee maan-

den geleden. Waar was je toen? Ik heb je niet gezien."
„Ik wist het niet."
„Nee, omdat het je niet interesseerde. Nu een ander het onder je neus gewreven hebt kom je ineens naar me toe rennen om de grote weldoener te spelen."
„Carrie, je bent onredelijk. Ik..."
„Nou, dat is dan jammer," onderbrak ze hem. „Maar je hoeft je niet over me te ontfermen, ik kan mijn problemen zelf wel aan. Dat moet ik tenslotte al vanaf het moment dat jij weggegaan bent."
„En hoe, dat hebben we gemerkt."
Het bloed trok weg uit Carries gezicht. „Wat gemeen van je," zei ze schor.
„Sorry, zo bedoelde ik het niet, maar je bent niet redelijk. Niemand wist dat je stiekem zoop, om het maar eens ronduit te zeggen. En dat was iets waar je zelf voor zorgde, want je hield het goed verborgen. Nu moet je geen verwijten gaan lopen maken aan anderen omdat niemand inzag wat er aan de hand was."
Carrie wist dat Lex gelijk had, maar ze weigerde om dat toe te geven. Juist tegenover Lex wilde ze goed overkomen, als de vrouw die prima in staat was haar zaakjes alleen op te knappen. Nu dat niet langer kon, voelde ze zich extra kwetsbaar. Ze was bang dat hij, juist hij, minachting voor haar zou voelen en dat kon ze niet verdragen.
„Luister naar me, Carrie. Ik zeg het nog één keer: ik ben hier om je te helpen. Zeg me wat ik voor je kan doen."
„Niets. Ik heb jouw hulp niet nodig," zei Carrie met haar laatste restje waardigheid. Ze hield haar hoofd afgewend, want ze wist dat ze verloren was als ze hem aankeek. Dan zou ze hem om zijn nek vliegen en hem smeken om bij haar te blijven.
„Dan valt er niets meer te bepraten," zei Lex strak. „Ik ga maar weg, je weet waar je me kunt bereiken als je me nodig hebt."
Hij stond op en liep met lange passen naar de deur. Op dat moment brak Carries weerstand.
„Lex, ga nog niet weg," riep ze half huilend. „Alsjeblieft. Ik durf niet alleen te blijven. Het is zo moeilijk allemaal."
Meteen was hij bij haar en nam haar in zijn armen.
„Natuurlijk blijf ik als je me nodig hebt," sprak hij eenvoudig.

„Het spijt me, ik wilde niet zo rot doen, maar ik..."
„Laat maar, je hoeft je niet te verontschuldigen. Ik weet hoe je je voelt."
„Nee, dat weet je niet. Dat kun je niet weten Lex en het is ook niet duidelijk uit te leggen aan iemand die het zelf niet meegemaakt heeft."
„Vergeet niet dat ik ook al maandenlang alleen woon. Onze situaties zijn misschien niet vergelijkbaar, maar ik was in één klap mijn hele gezin kwijt. Geloof me, dat is mij ook niet in mijn koude kleren gaan zitten. Ik heb het ook moeilijk gehad," zei Lex ernstig.
„Maar jij had je baan nog."
„En jij de kinderen. Een scheiding is nooit makkelijk, voor allebei de partijen niet."
„Je bent zelf weggegaan, je had ook kunnen blijven."
„Jij was het er anders ook mee eens. Kom op Car, laten we elkaar geen zinloze verwijten doen. Op dat moment was dit de enige oplossing."
„Sorry, je hebt gelijk. Ik doe geloof ik de hele avond niets anders dan me verontschuldigen," ontdekte Carrie.
„Het wordt hoog tijd dat wij eens om de tafel gaan zitten en serieus gaan praten," zei Lex vastberaden. „Dat hadden we denk ik al veel eerder moeten doen." Hij schonk wat te drinken in en ging naast haar op de bank zitten.
Voor het eerst sinds lange tijd voerden Lex en Carrie nu weer een lang, ernstig gesprek. Allebei verwoordden ze hun twijfels en emoties en ze bespraken de voor- en nadelen van de tijd na hun scheiding. Ze waren allebei erg openhartig en ze konden nu zelfs beter met elkaar praten dan tijdens hun huwelijk. Carrie bekende ook de angst die ze voelde om nu alleen te zijn.
„Ik wil geen druppel meer drinken, maar ik zie enorm op tegen al die eenzame avonden die voor me liggen. Ik weet dat ik het aankan, maar ik weet ook dat het moeilijk wordt."
„Als ik nu eens voorlopig bij je intrek?" stelde Lex spontaan voor. „Dan sta je er niet alleen voor en heb je iemand om tegenaan te praten en om je op af te reageren als het nodig is."
„Meen je dat?" Ongelovig staarde Carrie hem aan. „Maar hoe... ik bedoel, eh... hoe stel je je dat voor? Op wat voor basis?"

„Gewoon, als vrienden. Ik neem voorlopig mijn intrek in de logeerkamer, tot je weer sterk genoeg bent om het alleen aan te kunnen," zei Lex simpel.
Carrie haalde diep adem. Natuurlijk bedoelde hij het niet zoals ze even gehoopt had. Dat kon ze ook niet verwachten na alles.
„Dat klinkt heel aantrekkelijk en ik vind het fijn dat je dat voor me wilt doen, maar is het niet te verwarrend voor de kinderen? Ze hebben net de scheiding verwerkt en dan kom je terug om na een poosje weer te verdwijnen."
„Je weet dat ik stapelgek ben op ons drietal, maar het gaat nu vooral om jou, jij bent het belangrijkste. Remco kunnen we het heel goed uitleggen, we zeggen hem dat je ziek bent en beter een tijdje niet alleen kunt blijven, dat snapt hij wel. Bas is nog te klein, die geeft helemaal geen problemen, alleen Tina is op een moeilijke leeftijd voor zoiets. Je kunt haar nog moeilijk iets uitleggen, maar ik weet zeker dat het lukt, dat is jou wel toevertrouwd."
Carrie capituleerde al snel voor dit aantrekkelijke aanbod. Het was ook wel erg verleidelijk. Nu kon ze Lex laten zien dat ze veranderd was, dat ze sterker in haar schoenen stond dan hij dacht. En misschien... Ze kon er niets aan doen dat er weer nieuwe hoop in haar hart begon te leven. Een klein sprankje slechts, maar duidelijk aanwezig.

HOOFDSTUK 10

Stella en Han ontvingen het bericht van Lex' tijdelijke terugkeer de volgende ochtend. Ze vonden het een alleszins goede oplossing, hoewel Han er ook haar bedenkingen over had.
„Als Car zich nu maar niet teveel aan Lex vastklampt," sprak ze haar vrees tegenover Stella uit.
Het was voor het eerst sinds weken een droge, zonnige zondag en ze zaten samen op een terrasje terwijl Stefan, Eric, Chantal en Mirjam zich vermaakten in de daarbij behorende speeltuin.
„Dat zal heus wel meevallen," meende Stella optimistisch. „Ze is sterker dan ze zelf denkt en ik heb er alle vertrouwen in dat ze die kracht nu gebruikt."
„Maar ze houdt nog van Lex en ik ben bang dat ze teveel op hem gaat leunen en hem weer als onvervreemdbaar deel van het gezin gaat zien. Als hij die gevoelens niet beantwoordt en over enige tijd weer weggaat, komt die klap misschien dubbel zo hard aan."
„Ja hoor eens, dan had je niet naar Lex toe moeten gaan. Je hebt zelf tegen hem gezegd dat hij haar moest helpen en nu hij dat doet heb je daar weer zorgen om. Zo kun je wel aan de gang blijven natuurlijk. Er moest gewoon iets gebeuren, want zo kon het niet langer doorgaan. Dit is de beste oplossing."
„Oké, je hebt gelijk. Ik beloof je dat ik me er geen zorgen meer over zal maken, goed?" Ze hief haar glas even naar Stella op voor ze een slok nam. „Op de goede afloop dan maar. Met een beetje mazzel wordt het een happy end en kunnen we Mirjam, Chantal en Tina voorbereiden op hun rol van bruidsmeisjes."
„Nu draaf je wel weer erg ver door, maar het is te hopen. Dat zou natuurlijk helemaal de perfecte oplossing zijn."
„Nou," zei Han aarzelend. „Voor mij zou het niks zijn. Beter alleen, al is het dan met een paar problemen, dan de hele dag een man op mijn lip waar ik rekening mee moet houden."
„Maar jij bent een geval apart, dat kun je niet meerekenen," zei Stella plagend. Ze leunde lekker onderuit, haar gezicht opgeheven naar de zon. Het rumoer van de om hen heen schreeuwende en krijsende kinderen deerde haar niet. „Ik zou er persoonlijk geen bezwaar tegen hebben, als het de goede man maar was."
„Maar voor jou is het alleen zijn geen bewuste keuze geweest,

maar gedwongen. Je bent er nog steeds niet overheen, hè?" Han vroeg het aarzelend, bang om Stella pijn te doen door over dit gevoelige onderwerp te beginnen.
„Nee, ik mis Eric nog dagelijks, maar ik heb het nu wel geaccepteerd. Mijn leven verloopt ook niet slecht, maar de leegte die Eric achter gelaten heeft is door niets anders op te vullen."
„Ook niet door Jurgen?" vroeg Han rechtuit. „Ik kreeg de indruk dat je hem graag als plaatsvervanger wilt hebben."
Stella ontweek Hans blik en keek op haar horloge.
„Tjonge, wat is het al laat. Ik ga de kinderen bij elkaar roepen, want het is bijna tijd voor het bezoekuur. Tenslotte moeten we Monica nog uitgebreid inlichten over de recente gebeurtenissen."
Het was duidelijk dat ze niet over Jurgen wilde praten en Han respecteerde dat, maar Stella's reactie stelde haar niet gerust.
Ze reden naar het ziekenhuis en gelukkig waren er geen andere bezoekers, zodat ze Monica konden vertellen wat er allemaal gebeurd was.
„Ik mis alle opwinding sinds ik hier lig," verzuchtte die. „Ik ben wel een goede voor het verbond, zeg. Ik kan voor niemand iets doen."
„Jij helpt ons het verbond in stand te houden," grinnikte Han troostend. „Als we geen van allen problemen zouden hebben, zou het verbond tenslotte helemaal niet nodig zijn."
„Zo kun je het ook bekijken. Maar waarschijnlijk mag ik al over een paar dagen naar huis, want hier kunnen ze verder niets voor me doen, dus dan ben ik weer in de running."
„Nou, zo zou ik het niet willen noemen," zei Stella met een blik op Monica's been. „Je zal voorlopig nog niets mogen doen. Hoe moet dat als je helemaal niet kan lopen en hoe los je dat op met Chantal?"
Monica's gezicht betrok. „Ik ben bang dat ik wat Chantal betreft nog een tijdje een beroep op je moet doen, in ieder geval tot ik loopgips krijg. Ik red me thuis wel in mijn eentje. Ik krijg twee ochtenden gezinshulp voor het huishoudelijke werk en slapen kan ik voorlopig wel op de bank, dan hoef ik mezelf de trap niet op te hijsen."
„Waarom kom je ook niet zolang bij mij logeren?" stelde Stella spontaan voor. „Dat is voor jou veel makkelijker en ik vind het

wel gezellig. En dan heb je Chantal tenminste bij je."
„Meen je dat echt?" vroeg Monica stralend. „Dat vind ik fantastisch lief van je, maar nee... Dat kan ik toch niet zomaar aannemen? Je hebt het al druk genoeg met de kinderen."
„Ben je gek. Ik werk momenteel niet en mijn bezigheden thuis kan ik op mijn sloffen af."
„Ik zou het maar doen," zei Han nu ook. „Stella weet heus wel wat ze zegt en als het niet goed gaat, als jullie elkaar in de haren vliegen of zo, dan kan je altijd nog naar je eigen huis."
„Dat is waar. Dan neem ik je aanbod graag aan, Stella. Alleen je moet beloven dat je het eerlijk zegt als het je teveel wordt," bedong Monica.
„Beloofd," zei Stella meteen.
Ze vond het wel leuk dat ze voorlopig een logee kreeg. Het zou haar gedachten afleiden als ze weer neiging kreeg om te piekeren en ze kon goed met Monica opschieten. En als Jurgen haar weer eens uitnodigde, was er tenminste iemand thuis om op de kinderen te passen, dacht Stella erachteraan. Ze vond het een nogal egoïstische gedachtegang van zichzelf, maar hij was er nu eenmaal. Als hij tenminste nog eens iets van zich liet horen. Zijn telefoontje van twee dagen geleden en haar reactie daarop, zaten Stella verschrikkelijk dwars. Aan de ene kant nam ze het hem kwalijk dat hij zo luchtig op haar woorden gereageerd had, aan de andere kant vond ze dat ze hem niets mocht verwijten omdat hij niet wist hoe dringend de situatie op dat moment was. Het liet haar niet los. Ze bekeek het van verschillende kanten en kwam op een gegeven moment tot de conclusie dat zij de eerste stap moest zetten. Tenslotte had zij het gesprek abrupt afgebroken en ze vond dat ze hem op zijn minst een verklaring schuldig was. Diep in haar hart was ze bang dat hij niets meer van zich zou laten horen en ze wilde het contact met hem niet kwijt. Ze was vrouw genoeg om te weten dat Jurgen meer dan gewone belangstelling voor haar had en ze wilde deze kans op geluk niet laten lopen. Dat zijn uiterlijke gelijkenis met Eric haar grootste drijfveer was, besefte Stella zelf niet. Ze had tot nu toe alle toenaderingspogingen van mannen geweerd, omdat Eric nog steeds de grootste plaats in haar leven innam. Als Jurgen een ander uiterlijk had gehad zou ze aan hem waarschijnlijk ook geen tweede

gedachte meer wijden. Nu lag dat anders. Het was net of Eric teruggekomen was en dat gevoel was zo belangrijk dat alle andere argumenten ondergeschikt waren, al was ze zich dat dan niet bewust.

Met lood in haar schoenen liep Stella de volgende ochtend naar het uitzendbureau en vroeg aan de balie naar meneer Vermeulen.

„Heeft u een afspraak? Nee? Dan denk ik niet dat meneer u kan ontvangen," zei het meisje nogal pinnig.

„Zegt u hem maar dat Stella Jonkman er is," verzocht Stella met de moed der wanhoop. Ze voelde zich net een bedelares, maar weigerde zich door zo'n jong kind af te laten schepen.

Het meisje liep naar Jurgens kamer en kwam even later terug met de mededeling dat meneer haar kon ontvangen. Ze wierp Stella een nieuwsgierige blik toe, maar die had nog genoeg tegenwoordigheid van geest om koel terug te kijken. Ze was blij dat ze niet begon te blozen.

Jurgen ontving haar met uitgestrekte armen en een charmante glimlach.

„Stella, wat leuk dat je langskomt. Een onverwachte verrassing tijdens een saaie werkdag." Hij ving haar handen in de zijne en drukte een vluchtige kus op haar wang. De vervelende blos die ze net nog tegen had kunnen houden, was nu niet meer te verhinderen. Poe, hij liep wel hard van stapel! Stella vermoedde dat ze niet veel moeite hoefde te doen om met deze man een stormachtige relatie te beginnen.

„Ik kom mijn excuses aanbieden voor de botte manier waarop ik ons telefoongesprek beëindigd heb," viel ze meteen met de deur in huis. „Het was onbeleefd van me, maar ik moest echt dringend weg."

„Ik vergeef het je, op voorwaarde dat je vanavond met me mee uit eten gaat," stelde Jurgen glimlachend voor.

„Oké, als ik tenminste een oppas kan krijgen. Dat ligt namelijk een beetje moeilijk op het moment." Stella accepteerde een sigaret van hem en leunde behaaglijk achterover in de diepe fauteuil. Ze begon te vertellen over het verbond en de problemen waar twee van haar vriendinnen mee te kampen hadden. „Dus het aantal babysitters is schaars geworden," voegde ze er lachend aan toe.

„Maar voor mij doe je toch zeker wel wat extra moeite?" Zijn stem vleide en er lag een klank in waar Stella geen weerstand aan kon bieden.
„Natuurlijk, desnoods bel ik een oppascentrale," beloofde ze roekeloos. Normaal gesproken zou een dergelijk idee niet eens in haar hoofd opkomen, maar voor deze man had ze veel over.
„Dan kom ik je om halfacht halen."
„Als je dan wilt toeteren, dan kom ik wel naar buiten," bedong Stella. „Het lijkt me voor de kinderen namelijk niet zo geslaagd als je binnen komt. Je lijkt zoveel op hun vader, vooral Stefan zou ontzettend schrikken. Hij herinnert zich Eric nog heel goed."
„Het is niet mijn gewoonte, maar als jij dat graag wilt vind ik het best," gaf Jurgen toe. „Hoe spijtig ik het ook vind, ik moet je nu heus verzoeken om weg te gaan, anders komt er van mijn werk vandaag niets meer terecht. Over vijf minuten heb ik een vergadering."
Weer waren zijn lippen even op haar wang en Stella zweefde gewoon het kantoor uit. Ze wierp de nieuwsgierig kijkende receptioniste een stralende glimlach toe. Het kon haar niets schelen wat dat kind ervan dacht. Tenslotte deden Jurgen en zij niets verkeerd.
Haar eerste gang was naar haar moeder die ze vroeg, zelfs smeekte, of ze die avond op wilde passen. Mevrouw Wessels, die wel zag hoeveel dit uitje voor haar dochter betekende, stemde onmiddellijk toe.
„Dan kom ik wel naar jou toe, dan kunnen de kinderen gewoon hun eigen bed in," besloot ze.
„Wil je dan vanmiddag al komen? Ik wil graag even rustig de stad in, want ik heb niets om aan te trekken."
„De meest gehoorde kreet," lachte mevrouw Wessels. „Ik kom om een uur of twee en ik bel je vader wel op dat hij vanaf zijn werk naar jou toe moet komen, dan eten we bij jou."
„Je bent een schat!" jubelde Stella en ze vloog haar moeder spontaan om haar hals. „Maar weet je zeker dat het niet te zwaar voor je is? Chantal is er nu ook bij."
„Ben je gek, voor een keertje gaat dat prima. Ik ben nog niet aftands, hoor."
„Oké, dan zie ik je straks. Ik ga er nu snel vandoor, want de peu-

terzaal is zo afgelopen. Ik moet mijn bloedjes van kinderen halen."
Mevrouw Wessels keek haar dochter door het raam peinzend na toen ze de straat uitliep. Dit moest wel een heel speciaal afspraakje zijn, gezien de moeite die ze er voor deed. Het was lang geleden dat ze Stella zo onbezorgd en gelukkig had gezien en mevrouw Wessels hoopte van harte dat het niet op een teleurstelling uit zou lopen.
Van dat soort tegenstrijdige gevoelens had Stella helemaal geen last. Integendeel, ze voelde zich prima en het kwam geen moment in haar op dat het ook wel eens anders kon lopen dan ze zich nu in haar roze dromen voorstelde. Ze was in één klap zwaar verliefd op Jurgen geworden en ze voelde dat hij die gevoelens beantwoordde. Er lag alleen nog maar geluk in het verschiet, dat kon niet anders.
Zorgvuldig zocht ze 's middags in de stad nieuwe kleren uit, zonder zich zorgen te maken om de prijs. Ze kocht haast nooit iets voor zichzelf, dus het mocht best wel eens voor een keer. Haar keus voor die avond viel op een pakje met een heel wijde rok in een bijzondere kleur donkerrood. Met enige moeite vond ze er een mooie, bijpassende blouse bij. Het stond haar perfect. Haar wat fletse gelaatskleur werd opgehaald door het donkerrood en de grijze kleur van haar ogen werd erdoor verdiept. Ze kocht er ook nog schoenen en een tas bij en in een roekeloze bui besloot ze nog wat nieuwe make-upspullen aan te schaffen.
Het resultaat die avond was verbluffend. Stella was een nogal kleurloze, weinig opvallende vrouw, maar na haar metamorfose zag ze eruit als een fotomodel.
„Kind, ik herken je haast niet," zei mevrouw Wessels verbaasd.
„Ja, het staat wel leuk hè?" Stella draaide zich in het rond, zodat de rok wijd uitwaaierde.
„Mama mooi," zei Eric. Hij keek haar met een adorerende blik aan.
„Ik hoop dat Jurgen er ook zo over denkt," grinnikte Stella.
„Anders heeft hij zijn ogen in zijn zak zitten," bromde haar vader.
Hij hoefde zich niet bezorgd te maken over de kwaliteit van Jurgens ogen, want hij vond haar inderdaad mooi en liet dat ook onverbloemd merken.

„Je ziet er fantastisch uit," complimenteerde hij meteen toen ze in het luxe restaurant haar jas uittrok.
Hij leidde haar naar een tafeltje en hield zorgzaam haar stoel bij. Stella, die helemaal geen uitgaanstype was en de laatste jaren ook niet meer gewend was aan mannelijke aandacht, genoot overal ondubbelzinnig van. Ze kon niet weten dat juist dat haar zo aantrekkelijk maakte voor Jurgen. Hij vond Stella zo puur, zo ongecompliceerd. Ze leek meer op een onbedorven schoolmeisje dan op een weduwe met twee kinderen. De achterliggende, moeilijke jaren waren haar die avond ook beslist niet aan te zien. Er lag een zachtroze blos op haar wangen en haar ogen glansden. Na het eten besteld te hebben kwam het gesprek eerst een beetje moeizaam, maar allengs vlotter op gang.
„Wat doe jij precies op het uitzendbureau?" vroeg Stella nieuwsgierig. „Ben je iets hoogs?"
Hij schoot in de lach. „Dat kun je wel zeggen, ja. Liefje, ik ben de directeur. Al een paar jaar en nog steeds tot mijn volle tevredenheid."
„O," was haar nietszeggende antwoord. „Ik kom er ook al een paar jaar regelmatig over de vloer, vreemd dat we elkaar nooit eerder gezien hebben."
„Misschien zijn we elkaar al tientallen keren voorbij gelopen, maar is het ons gewoon nooit opgevallen. Vorige week stortte jij je in mijn armen, toen kon ik niet meer aan je voorbij," plaagde Jurgen, maar Stella schudde beslist haar hoofd.
„Uitgesloten. Jij lijkt zo ontzettend veel op Eric, het is onmogelijk dat ik je ooit gezien heb zonder dat dat me opgevallen is."
Er trok een schaduw over zijn gezicht. „Liefje, ik hoop dat je niet steeds weer over je overleden man gaat beginnen. Ik hoop dat je met me uitgaat om mezelf, niet door de een of andere toevallige gelijkenis."
Een beetje ongemakkelijk schoof Stella heen en weer op haar stoel. „Natuurlijk gaat het om jou, maar in jouw gezelschap vind ik het heel moeilijk om niet aan Eric te denken. Ik ben jarenlang met hem getrouwd geweest en nu is het net of ik tegenover hém zit, al zegt mijn verstand dan dat dat niet zo is."
„Ik zou het bijna een reden vinden om plastische chirurgie te laten doen," schertste hij alweer en Stella haalde opgelucht

adem. Even was ze bang dat hij er dieper op in zou gaan en ze vond het pijnlijk om hem te vertellen dat zijn uiterlijk de hoofdreden was dat ze hier nu met hem zat. De gedachte dat hij er wel érg makkelijk overheen stapte, schoof ze snel weg.
„Vertel jij eens wat over jezelf. Ben je nooit getrouwd geweest?"
„Ja, één keer, maar het was geen succes. Ik praat er liever niet over."
„Gek eigenlijk," peinsde Stella. „Toen Eric nog leefde kende ik maar heel weinig mensen die niet getrouwd waren of samen woonden. Sinds ik alleen ben lijkt het wel of ik alleen nog maar gescheiden mensen ontmoet. Kijk alleen maar eens naar ons vriendinnenclubje. Van de vier vrouwen zijn er twee gescheiden. Typisch."
„Ach, huwelijken duren tegenwoordig niet meer eeuwig," vond Jurgen luchtig.
Hij stapte alweer over op een ander onderwerp en Stella moest zichzelf eerlijk bekennen dat dat haar een beetje tegenviel. In de korte tijd dat ze elkaar kenden had ze al gemerkt dat hij vrij oppervlakkig was, maar vanavond viel het wel heel erg op. Daarnet al toen het gesprek over Eric ging en nu weer. Over ieder onderwerp stapte hij heen, het leek wel of een serieus gesprek met hem niet mogelijk was.
Tijdens het eten van hun voorgerecht had Jurgen alle aandacht bij zijn bord en hij zei niets. Onwillekeurig gleden Stella's gedachten terug in de tijd. Met Eric was ze niet zo vaak uit eten geweest omdat ze altijd liever bij de kinderen thuis bleven, maar als het eens gebeurde was het gezellig en hadden ze gespreksstof in overvloed. Van luchtige, nietszeggende conversaties tot diepgaande gesprekken. Op zo'n avond werden ze altijd weer opnieuw verliefd op elkaar. Stella was zo in haar weemoedige gedachten verdiept dat ze niet hoorde dat Jurgen haar iets vroeg. Pas toen hij zijn vraag herhaalde, schrok ze op.
„Sorry Eric, ik verstond je niet," zei ze automatisch.
„De naam is Jurgen en ik vroeg of het je smaakte," herhaalde hij spottend.
„O, sorry... ik eh..., het spijt me," stotterde Stella met een vuurrood gezicht.
Weer ging hij er niet verder op door en Stella ging zich steeds

minder op haar gemak voelen. Ze was verliefd op deze man, maar toch scheen het op de een of andere manier niet te klikken. Ze had ook niet het gevoel dat ze bij Eric vanaf de eerste dag van hun kennismaking had gehad; dat ze zichzelf kon zijn en zo ook geaccepteerd werd.
Totdat het hoofdgerecht werd geserveerd, was het een moeizaam zoeken naar woorden, van beide kanten. Daarna ging het iets beter. Ze bleken dezelfde voorkeur voor bepaalde gerechten te hebben en dat was een dankbaar aanknopingspunt voor een gesprek. De rest van de avond was niet ongezellig, maar bleef oppervlakkig. Jurgen maakte herhaaldelijk leuke en lieve complimentjes, hij keek steeds diep in haar ogen en streelde met zijn duim licht over haar hand. Stella voelde de vlinders alweer dansen in haar maagstreek, maar ze was niet meer zo stralend gelukkig als in het begin van de avond. Er was iets wat dwars bleef zitten.
Om elf uur gaf ze te kennen dat ze naar huis wilde en hij ging meteen met haar mee. Zou hij soms blij zijn dat deze avond afgelopen is, vroeg Stella zich direct onzeker af. Zou het voor hem soms ook een teleurstelling geweest zijn? Ach, zeur toch niet zo, sprak ze zichzelf meteen in stilte streng toe. Hij moet er morgen ook vroeg uit en hij heeft er gewoon begrip voor dat je het niet te laat kunt maken met drie kinderen thuis.
Ze vond zichzelf een zeurpiet en probeerde dat negatieve gevoel weg te duwen door onderweg opgewekt te praten. Hij parkeerde de wagen precies voor haar huisdeur. Nerveus keek Stella of haar ouders niet voor de ramen verschenen, maar alles bleef rustig.
„Bedankt voor de gezellige avond," wendde ze zich tot Jurgen.
Ze wilde hem een hand geven en de wagen verlaten, maar daar kreeg ze de kans niet voor. Hij sloeg zijn armen om haar heen en begon haar hartstochtelijk te zoenen. Een paar minuten lang liet Stella zich gaan. Een hemel vol vuurwerk opende zich voor haar en ze was duizelig van geluk, tot hij hees voorstelde: „Zal ik met je meegaan? Nog even wat drinken?"
Op dat moment realiseerde ze zich dat het niet Eric, maar Jurgen was die haar in zijn armen hield.
„Nee, ik eh... ik ben er nog niet aan toe. Sorry," stamelde ze verward.

Hij liet haar meteen los en deed geen enkele poging om aan te dringen. „Je hoeft je niet te verontschuldigen," zei hij kalm. Hij stak een sigaret op en bij het licht van zijn aansteker zag Stella dat zijn handen trilden en zijn kaaklijn gespannen stond.
„Nou, dan ga ik maar," zei ze, niet goed raad wetend met deze situatie.
„Tot ziens, Stella." Ze voelde zijn hand nog even licht strelend langs haar wang. „Ik bel je gauw weer op voor een nieuwe afspraak."
Ze struikelde toen ze de wagen uitstapte en vond zichzelf een enorme kluns. Ze leek warempel wel een onervaren tiener in plaats van een volwassen vrouw!
Haar ouders informeerden belangstellend hoe haar avond verlopen was en Stella probeerde zo opgewekt mogelijk te doen, maar ze was blij toen ze vertrokken en zij alleen achterbleef met haar verwarde gevoelens. Ze wist zelf niet precies hoe ze zich nu voelde. Wel verliefd, niet gelukkig. Dat was nog de beste beschrijving van haar gemoedstoestand. Maar hoe kon dat? Het één stond toch niet los van het ander? Met Eric was het allemaal heel anders geweest. Ze gingen al maanden met elkaar om voor hun verhouding intiem werd en toen was het ook iets vanzelfsprekends geweest. Maar toen waren we nog jong en was het voor ons allebei de eerste keer, hield Stella zichzelf voor. Dat is niet vergelijkbaar. Met Jurgen was alles anders. Jurgen zélf was anders.
En dat was nu juist het moeilijke. Waarom was hij niet gewoon hetzelfde als Eric? Dat zou alles een stuk simpeler maken.

HOOFDSTUK 11

De dag brak aan dat Monica naar huis mocht. Zodra haar dokter hoorde dat ze niet alleen zou zijn, maar bij een vriendin ging logeren, gaf hij zijn toestemming. Stella hoefde niet zoveel te organiseren voor Monica's komst. Ze bezat een uitvouwbaar logeerbed wat 's avonds gewoon de huiskamer ingerold werd en overdag een plek in de gang kreeg. Het enige wat ze deed was een hoek van de kamer inruimen met een makkelijke stoel, een poef voor Monica's been, een tafeltje en een klein ladekastje. Monica's kleren en dergelijke spullen kregen een plek bij Stella in de kast.
Op de dag van haar thuiskomst kwam Carrie met Tina en Bas langs en Han had een vrije ochtend genomen, zodat er een heel gezelschap zat te wachten toen Monica met een taxi arriveerde. Nog wat onhandig strompelde ze op haar krukken naar binnen. Carrie had moeite om de kinderen een beetje in toom te houden, want die vonden het reuze interessant. Han hielp Monica zich te installeren en Stella zorgde voor koffie met gebak.
„Tjonge, wat een service van alle kanten," vond Monica tevreden. „Als dat zo blijft, krijg je me hier nooit meer weg, Stel."
„Je kunt de pot op," reageerde die meteen. „Dat is alleen de eerste dag. Vanaf morgen word je aan het werk gezet, reken daar maar op. Zittend op je luie stoel kun je prima aardappels schillen en groentes schoonmaken."
„En de was opvouwen en verstelgoed repareren," hielp Han mee.
„Spelletjes doen met de kinderen om ze rustig te houden," wist Carrie ook.
Monica lachte en sloeg quasi-wanhopig haar handen voor haar oren. „Help, ik wil naar mijn eigen huis!" riep ze.
„Waarom? Vind jij mijn mama niet lief?" vroeg Eric geschrokken.
„Natuurlijk wel, schat." Monica trok de kleine jongen op schoot en werd onmiddellijk belaagd door Chantal en Tina, die dat ook wilden. „Ik vind jouw mama verschrikkelijk lief zelfs."
Eric knikte ernstig. „En ze is ook mooi, hè? Nu niet, maar toen ze wegging wel," zei hij trouwhartig. Het algemene gelach overstemde de protesterende kreten van Stella. „Ze had een nieuwe jurk aan, tante," zei Eric, die baldadig werd door de reactie op zijn woorden. „En kleurtjes op haar gezicht."

„Hou nu maar op, jongeman." Stella viste het tegenstribbelende kind van Monica's schoot. „Gaan jullie maar in je kamer spelen."
De kinderen protesteerden, maar wat dat betreft had Stella de wind er goed onder. Haar strenge blik miste zijn uitwerking niet en met zachte dwang leidde ze hen naar de kinderkamer. Alleen Bas bleef in de huiskamer achter, maar die zat lief onder de tafel met wat speeltjes en was nog te klein om zich met de conversatie van de volwassenen te bemoeien.
„Ach, kleine kinderen en dronken mensen spreken de waarheid," merkte Han, schijnbaar in het algemeen, op.
„Ja, zo kan hij wel weer. Iemand nog koffie?"
„Maar even serieus," hervatte Monica het gesprek. „Als ik je ergens mee kan helpen moet je het in ieder geval zeggen hoor. De klusjes die jullie net opnoemden kan ik in ieder geval doen, maar misschien zijn er nog wel meer dingen die ik je uit handen kan nemen."
„Maak je maar niet druk, dat doe ik heus wel," beloofde Stella. „Ik zorg wel dat je je niet verveelt."
„Daar zal ik toch niet veel last van hebben. Ik heb besloten deze periode van gedwongen nietsdoen nuttig te besteden door te leren voor het vestigingsdiploma."
„Hé, wat leuk," vond Han verrast. „Zomaar, of wil je er ook echt iets mee gaan doen?"
„Ik droom al jaren van een eigen winkeltje. Of het er ooit van komt weet ik niet, maar dan heb ik in ieder geval de papieren," vertelde Monica. „Ik ben niet zoals jij, Han, dat ik kind, huishouden, werk én een studie moeiteloos combineer, maar ik vind dit wel een goede gelegenheid om mijn diploma te halen. Dan komt er toch nog iets goeds voort uit alle ellende."
„Maar wat voor winkel zou je dan willen? Je werkt nu op de drogisterijafdeling, wil je in die branche blijven?" vroeg Stella geïnteresseerd.
„Nee, dat wordt me te zwaar. Het vakdiploma drogisterij schijnt heel moeilijk te zijn. Dan moet ik ontzettend veel tijd aan mijn studie besteden en dat heb ik er niet voor over."
Er ontstond een geanimeerd gesprek over dat onderwerp, waar alleen Carrie zich afzijdig van hield. Alweer iemand die een doel

heeft in het leven waar ze naar toe werkt, dacht ze verdrietig. Ik ben de enige die niets presteert.
Ze voelde zich steeds nuttelozer, maar wist niet wat ze wilde. Een vaste baan lokte haar niet zo, ze zocht het eigenlijk meer in vrijwilligerswerk. Maar wat? Ze zag wel regelmatig advertenties waarin vrijwilligers gevraagd werden voor bijvoorbeeld bardiensten in wijkcentra of als hulp in een kinderdagverblijf, maar dat zocht ze niet. Carrie wilde zich nuttig maken, iets betekenen voor andere mensen. Het zorgen zat haar nu eenmaal in het bloed.
Ze werd uit haar gedachten gehaald door Monica, die hartelijk vroeg hoe het nu met haar ging.
„Goed. Je... eh, je hebt zeker gehoord wat er gebeurd is?" vroeg Carrie aarzelend.
„Natuurlijk, we zijn toch vriendinnen?" vond Monica logisch. „Ik kon niet veel voor je doen in het ziekenhuis, maar vergeet niet dat ik een zeer goed luisterend oor heb, wat je altijd mag gebruiken."
„Hoeft niet, daar heb ik Lex tegenwoordig voor." Carrie begon te lachen. „Hij had zich aangeboden als stootblok om op af te reageren en dat heeft hij geweten, die arme man. Nu gaat het redelijk, maar de eerste dagen heeft hij heel wat te verduren gehad. Ik vloog zowat tegen de muren op en alles ontlaadde zich natuurlijk over zijn hoofd. Het valt me mee dat hij nog niet gillend weggerend is."
„Ik heb bewondering voor je," zei Han opeens ernstig. „Ik vind het fantastisch zoals je je erdoorheen slaat en moet eerlijk bekennen dat ik dat niet verwacht had."
„Het valt wel mee," weerde Carrie verlegen af, maar Stella viel Han bij.
„Han heeft gelijk. Jouw vastberaden houding en wilskracht om van de drank af te blijven dwingt respect af. Dat mag heus wel eens gezegd worden."
„Maar het is heus niet zo moeilijk als jullie denken. Ik ben geen alcoholiste, al was ik dan hard op weg om dat te worden. Ik dronk om me niet zo beroerd te voelen en, het klinkt misschien raar, om een leegte op te vullen. Ik mis iets, ondanks mijn drie kinderen. Zaak is nu alleen om dat op te vullen, het liefst voordat Lex weer weggaat."

Ze praatten er nog een tijdje over door, maar de anderen konden ook geen pasklare oplossing vinden.
„Ik zou het zoeken naar bezigheden niet teveel forceren," raadde Han nog aan. „Meestal komt zoiets vanzelf wel op je weg. Ik moet er trouwens vandoor, jammer. Het was net zo gezellig weer met zijn vieren."
„Kun je mij dan even thuis brengen? Remco komt zo uit school," constateerde Carrie verschrikt met een blik op de klok.
Haastig verdwenen ze, zodat Monica en Stella met zijn tweeën achterbleven.
„Nou, daar zitten we dan," merkte Monica laconiek op. „Laten we meteen afspreken dat jij je niet door mij van je bezigheden af moet laten houden. Je moet zoveel mogelijk je eigen gang gaan, ik zal toch vaak genoeg een beroep op je moeten doen. En zeg het alsjeblieft eerlijk als het je teveel wordt."
„Het zal best wel lukken. Het is natuurlijk een wat vreemde situatie, maar alles went tenslotte," sprak Stella optimistisch.
Ze kreeg gelijk. De eerste dagen verliepen een beetje onwennig en deden ze allebei nogal geforceerd hun best om vooral normaal te doen, maar na een week hadden ze allebei hun draai gevonden. Stella ging zoveel mogelijk haar gang zoals ze dat gewend was en Monica hielp haar met allerlei klusjes die ze zittend kon doen. Daarnaast had ze haar studie, waar ze vol overgave aan bezig was. Ze wilde graag het diploma op zak hebben voor haar been genezen was en ze weer aan het werk ging. Buiten die bezigheden om hadden de twee vriendinnen ook veel gezelligheid aan elkaar, vooral op de ochtenden dat de kleintjes naar de peuterzaal waren. Hoewel dat de uitgelezen tijd was om te studeren, legde Monica juist dan haar boeken opzij en liet Stella haar huis voor wat het was. Met een grote pot koffie en meestal wat lekkers erbij, konden ze dan urenlang kletsen. Vaak waren die gesprekken heel serieus, maar er kwam altijd wel wat humor om de hoek kijken, zodat ze heel wat aflachten.
Stella had Monica ook ingelicht over Jurgen en de verwarde gevoelens die ze voor hem had.
„Neem geen definitieve beslissingen zolang je niet honderd procent zeker van jezelf bent en probeer door zijn uiterlijk heen te kijken," raadde Monica haar aan.

Ze had Jurgen een keer ontmoet toen hij onverwachts een avond was langsgekomen en ze had hem niet bepaald sympathiek gevonden. Ze kon het niet omschrijven, maar hij had iets over zich wat haar tegenstond. Ze zag ook dat Stella zich in zijn nabijheid anders gedroeg. Onnatuurlijk opgewekt en een tikkeltje nerveus, alsof zij zich ook niet helemaal op haar gemak voelde bij deze man. Ze hoopte dat Stella verstandig genoeg was om zich niet te laten leiden door zijn uiterlijk en zijn charme bij het nemen van beslissingen.
Al met al beviel het tijdelijk samenwonen hen allebei heel goed en namen ze het enige nadeel, het gemis van eigen privacy, op de koop toe. Ook Chantal paste zich wonderlijk goed aan en Monica bedacht regelmatig dankbaar dat ze bofte, ondanks alles.

„Monica, ik ga de kinderen wegbrengen en meteen boodschappen halen!" riep Stella door de dichte badkamerdeur heen.
„Oké, tot straks!" gilde Monica terug.
Onhandig manoeuvreerde ze met haar krukken voor de wastafel. Ze was nog steeds niet gewend aan die dingen. Uit angst om te vallen werd ze onzeker en dat was aan haar bewegingen te merken. Met veel moeite handelde ze het dagelijkse ritueel van wassen, tanden poetsen en aankleden af en strompelde daarna naar de kamer, naar haar eigen stoel. Voorzichtig liet ze zich erin zakken en met een diepe zucht legde ze haar been op de poef. Hè, hè, ze zat. Ze was iedere dag doodmoe van die paar handelingen, maar die klomp gips woog dan ook als lood.
Monica wilde net een boek pakken toen de bel ging.
„O nee, hè," kreunde ze hardop. Even overwoog ze om gewoon niet open te doen, maar ze vermande zichzelf en begon aan de, voor haar, lange tocht naar de voordeur. Opnieuw schalde de bel door het huis. „Kalm, ik kom eraan!" brulde Monica geïrriteerd. Als het iets onbelangrijks is, een collectant of zo, krijgt hij een kruk in zijn nek, bedacht ze grimmig.
Het was echter de postbode, die op zijn gemak tegen de muur leunde. „Goedemorgen, was je soms nog niet aangekleed?" grinnikte hij amicaal. „O nee, ik zie het al, het lopen gaat wat langzaam." Vanaf haar been gleden zijn ogen naar haar gezicht en nadenkend vervolgde hij: „Hé, ken ik jou niet ergens van?"

„Bijzonder origineel," vond Monica koel. „Wat kan ik voor u doen?"
„Ik heb een pakje voor je," zei hij, haar 'u' negerend. „Maar toch... wacht, ik weet het al: de supermarkt! Je bent verkoopster op de drogisterijafdeling, maar ik heb je ook wel eens achter de kassa gezien en bij het brood."
„Ach ja, ik ben een veelzijdig persoontje." Monica ontdooide nu zij de postbode als één van haar klanten herkende. „Je komt er zeker vaak als je de verkoopsters herkent?"
„Iedere week. Boodschappen moeten nu eenmaal gehaald worden en aangezien ik gescheiden ben moet ik daar zelf voor zorgen."
„Welkom bij de club," zei Monica ironisch. „Wil je dat pakje voor me in de gang zetten? Ik heb mijn handen al vol aan die krukken."
„Zeg maar waar het heen moet. Onze service strekt zich verder uit dan de voordeur." Hij liep langs haar heen naar binnen en ze wees hem waar hij het pak het beste neer kon zetten. „Volgens mij staat het daar in de weg, dan kom je er niet makkelijk langs. Ik zet het wel in de keuken." Hij voegde de daad bij het woord en keek even later toe hoe ze door de gang liep. „Gaat niet echt makkelijk hè? Zal ik je even helpen?" Resoluut pakte hij één kruk en bood haar in plaats daarvan zijn arm aan om haar naar de stoel te leiden.
„Dank je. Die krukken vind ik niks, ik ben veel te bang dat ik val."
„Je doet het ook helemaal verkeerd. Ik heb zelf eens een paar maanden met krukken gelopen, dus ik weet er wel iets van af. Hebben ze je in het ziekenhuis niet geleerd hoe je ermee om moet gaan?"
„Jawel, maar dat stelde niet veel voor. Er kwam een fysiotherapeut die haastig wat dingen uitlegde en er snel weer vandoor ging. Die mensen hebben het ook zo druk."
„Maar dit is levensgevaarlijk. Zal ik vanavond terugkomen om je ermee te helpen? Er zijn genoeg handigheidjes om er simpel, maar toch veilig mee om te gaan."
Hij leunde op zijn gemak tegen de schoorsteenmantel aan en plotseling drong het absurde van deze situatie tot Monica door. Daar zat ze nou met een wildvreemde postbode het gebruik van krukken te bespreken! Ze schoot in een heldere lach.

„We kennen elkaars naam niet eens."
Hij begreep haar gedachtegang onmiddellijk en begon spontaan mee te lachen. „Dat is in ieder geval snel te verhelpen. Ik ben David..." Zijn achternaam verstond Monica niet omdat er op dat moment een vrachtwagen langskwam, maar het kon haar niet veel schelen.
„Monica Martins. Ik zou het heel fijn vinden als je me vanavond wilt komen helpen."
„Oké." Hij greep haar hand en toonde een kwajongensachtige grijns. „En ik beloof dat ik niet weer ongeduldig twee keer zal bellen als het lang duurt voor je open doet."
„Daar zal je geen last van hebben. Dit is het huis van mijn vriendin, ik logeer hier tijdelijk. En zij is sneller bij de voordeur dan ik."
„O, jammer. Ik bedoel... gezellig voor je dat je niet alleen bent onder deze omstandigheden," herstelde David snel.
Hij ging weer aan het werk en Monica keek hem door het raam lachend na. Onvoorstelbaar, dat je je bij een vreemde man vanaf het eerste moment zo op je gemak kon voelen. Ze verheugde zich al op die avond, iets wat Stella meteen merkte zodra ze erover ingelicht werd.
„Je mag hem wel hè?" vroeg ze terloops.
„Ach, hij is wel aardig, maar ik ken hem nog niet," antwoordde Monica vaag. Ze keken elkaar aan en begonnen beiden te lachen.
„Oké, ik vind hem heel aardig," gaf Monica toe. „Maar ik ben realistisch genoeg om te beseffen dat hij bij een tweede kennismaking hard tegen kan vallen. Overigens stel ik me er niets van voor, hoor. Ik ben niet zo'n hysterisch vrouwmens die in elke man een mogelijke huwelijkskandidaat ziet."
„Sommige mensen zijn je nu eenmaal vanaf de eerste aanblik sympathiek en zo'n eerste indruk is meestal juist. Ik zou het fijn voor je vinden als hier een leuke vriendschap uit voortkomt."
„Zeg, loop je niet een beetje hard van stapel? Hij komt me helpen met mijn krukken, hij komt me geen huwelijksaanzoek doen," grinnikte Monica.
„Voorlopig heb jij het woord 'huwelijk' al twee keer in je mond gehad, ik niet," ketste Stella plagend terug. „Maar je hebt gelijk, we lijken wel een stel schoolmeisjes die geen andere belangstelling hebben dan jongens."

Ze liep naar de keuken om de boodschappen op te ruimen en moest zichzelf bekennen dat ze razend nieuwsgierig was naar deze David. De kennismaking viel haar niet tegen. Om halfacht stond hij voor de deur, met een grote bos bloemen.
„Hallo, ik ben David, de krukkenhulp," stelde hij zich vlot voor.
„Kom binnen, ik ben Stella. Die bloemen zijn zeker voor Monica bedoeld?"
„Voor jullie allebei, maar ik denk dat jij degene bent die ze in een vaas mag zetten." Hij liep de huiskamer binnen en struikelde meteen over Eric, die pal achter de deur met een puzzel op de vloer lag.
„Zo, jij komt met recht met de deur in huis vallen," zei Monica laconiek.
„Leuke vloermatjes hebben jullie." Hij wreef over zijn pijnlijke knie, die in botsing gekomen was met de tafel. „Zijn die alledrie van jou?"
„Bewaar me, ik heb er maar eentje, deze jongedame hier. Jongens, kom eens netjes een handje geven."
Stefan en Chantal gaven een hand en gingen meteen weer verder met hun spelletje, maar Eric kroop vertrouwelijk bij David op schoot. Van het woord verlegenheid had hij nog nooit gehoord.
„Ik heet Eric," deelde hij mee.
„En ik heet David." Hij legde voorzichtig zijn arm om de tengere schoudertjes van het kind om hem voor vallen te behoeden. Er lag een blik in zijn ogen die Monica niet thuis kon brengen. Een mengeling van tederheid en verdriet.
„Wat kom jij doen?" wilde Eric nieuwsgierig weten.
„Tante Monica helpen om met de krukken te lopen."
„Dat kan ze toch al? Tante, hij zegt dat je niet kunt lopen!" Zijn stemmetje klonk verontwaardigd.
David fluisterde, zo dat Monica het ook kon horen: „Ze kan het wel, maar niet zo goed. Ze heeft een grote, sterke man nodig die haar helpt." Met een blik van 'wij mannen onder elkaar' keek hij Eric aan.
„Dan ga ik ook helpen," besloot die onmiddellijk.
„Niks ervan, jij gaat je bed in," zei Stella die binnen kwam met de vaas bloemen en zijn woorden gehoord had. „Kom op Eric en Chantal, ga welterusten zeggen. Het is de hoogste tijd." Ze zette

de bloemen op het tafeltje naast Monica. „Ze zijn voor ons allebei, maar jij mag er het meeste naar kijken. Schiet op nou, jongens."
Eric gaf David een kusje op zijn wang en vroeg of hij nog een keertje terug kwam.
„O ja, nog heel vaak," beloofde hij met een blik op Monica, die het opeens heel druk had met iets onduidelijks.
De stemming was vanaf het eerste moment heel gezellig. David voelde zich thuis en had totaal niets gedwongens in zijn houding, iets wat mensen vaak hebben als ze voor de eerste keer ergens op visite zijn. Het was net of ze elkaar al heel lang kenden, zo vertrouwd was de omgang. Stella wenste dat haar vriendschap met Jurgen ook zo ongecompliceerd kon zijn. Als ze Monica en David zo bezig zag, besefte ze dat er bij hen nog heel wat aan schortte. Maar de ene relatie heeft nu eenmaal meer tijd nodig dan de andere, vertelde ze zichzelf haastig. Het onbehaaglijke gevoel dat ze steeds vaker kreeg als ze aan Jurgen dacht, duwde ze zo ver mogelijk weg.
Davids hulp bleek inderdaad van onschatbare waarde voor Monica. Hij leerde haar hoe ze het beste op kon staan en weer moest gaan zitten, hoe ze moest lopen en hoe ze op haar krukken kon steunen zonder haar spieren teveel te belasten. Hij wist zelfs de goede manier om de trap op en af te lopen zonder hulp. Na zo'n anderhalf uur intensief oefenen liep Monica redelijk snel en handig door de kamer, obstakels ontwijkend.
„Fantastisch, dit had ik vanmorgen niet durven dromen," zei ze. Ze was doodmoe, maar dat kon haar niets schelen. Het resultaat was zo goed dat ze dat er graag voor over had. „Ik was echt bang om te vallen en daar heb ik nu geen last meer van. Op deze manier loop ik een stuk zekerder."
„Ik snap niet dat dat je in het ziekenhuis niet grondig geleerd is. Het is gewoon schandalig dat ze je zo aan laten modderen. Er zouden de grootste ongelukken gebeuren." Hij accepteerde gretig een glas ijskoude cola van Stella, die hij in één teug leegdronk. „Zo, dat had ik wel verdiend, al zeg ik het zelf. Hoe is het eigenlijk gebeurd? Van de trap gevallen of zo?"
„Nee, aangereden door een auto terwijl ik zelf op de fiets was. De schoft reed nog door ook, naderhand hoorde ik van de politie dat

hij dronken was en zich een dag later zelf heeft aangegeven. Het is nog maar kort geleden, een maand ongeveer. Voorlopig zit ik nog wel met de brokken."
Terwijl Monica vertelde gingen haar gedachten terug naar de noodlottige dag van het ongeluk en ze merkte niet op dat Davids gezicht grauw werd. Hij moest alle mogelijke moeite doen om zijn zelfbeheersing te bewaren en het niet uit te schreeuwen. Ook zijn gedachten gingen terug naar die ene zaterdagavond, ongeveer een maand geleden. Die avond dat hij volkomen door het lint was gegaan en zonder te beseffen wat hij deed in zijn auto was gestapt. Vaag herinnerde hij zich nog die klap en het verwrongen metaal van haar fiets, duidelijk zichtbaar in het licht van zijn koplampen. De kater en het vreselijke besef waren de volgende morgen gekomen en zonder zich te bedenken was hij meteen naar de politie gestapt. Die waren niet eens onredelijk geweest, herinnerde hij zich. Volgens hen waren er genoeg verzachtende omstandigheden in het spel, maar zo zag hij het zelf niet. Hij kon zichzelf nooit vergeven wat hij een ander had aangedaan.
En nu bleek Monica zijn slachtoffer te zijn! Monica, die hij al maandenlang in de supermarkt anoniem bewonderde en die vanaf vanmorgen geen seconde meer uit zijn gedachten was geweest! Hoe kon hij haar ooit duidelijk maken wat er gebeurd was en hoe zou ze het opvatten? Ergens in zijn achterhoofd kwam de gedachte op dat hij het haar moest vertellen, maar niet nu. In vredesnaam niet nu! Hij moest eerst proberen met zichzelf in het reine te komen.
„David, wat is er? Voel je je niet goed?" vroeg Monica verschrikt. Ze zag zijn veranderde gelaatskleur en de trek van pijn op zijn gezicht die zij associeerde met lichamelijk letsel.
„Het gaat wel weer. Ik geloof dat ik die koude cola te snel naar binnen heb gewerkt. Mijn maag protesteerde ertegen," stelde hij haar gerust.
Meteen na die woorden stond hij op. Hij voelde een dringende behoefte om alleen te zijn, om alles rustig te overdenken en om zijn plotseling pijnlijk kloppende hoofd tot bedaren te brengen.
„Ik ga maar weer," probeerde hij luchtig aan te kondigen. „Monica, het allerbeste met je been. Mag ik nog eens terugko-

men? Vaak terugkomen?" Hij hield haar hand stevig vast en keek haar lang en doordringend aan. Een stemmetje in zijn hoofd vertelde hem dat hij het hier beter bij kon laten, dat hij geen contact meer met haar moest zoeken, maar het minste wat hij voor haar kon doen was haar opzoeken, afleiding bezorgen en zoveel mogelijk helpen, maakte hij zichzelf wijs.
„Graag zelfs," mompelde Monica, haar ogen verlegen neerslaand. Zich volkomen onbewust van zijn ellendige gedachten leunde ze na zijn vertrek gelukzalig achterover. Hij mocht haar, dat had hij duidelijk laten merken en zij... Ze glimlachte stil voor zich uit. Het was nog te vroeg om conclusies te trekken, maar dit zou wel eens een speciale vriendschap kunnen worden. Een héél speciale vriendschap, dacht ze.
Op dat moment voelde Monica zich ronduit gelukkig.

HOOFDSTUK 12

De zomer gleed ongemerkt over in de herfst, met hetzelfde sombere, natte weer waar iedereen langzamerhand aan gewend raakte en waar stevig op gemopperd werd.
Jurgen en Stella zagen elkaar nog steeds regelmatig, maar er zat niet veel schot in hun relatie. Stella was nog niet toe aan een intieme verhouding, vooral niet omdat ze het gevoel had geen wezenlijk contact met Jurgen te hebben. In haar meest sombere buien vergeleek ze hem wel eens met een vis, zo één met een dikke, gladde huid waar alles vanaf gleed. Ze gingen nu zo'n drie maanden met elkaar om, maar ze wist niet veel meer van hem dan dat hij directeur van het uitzendbureau was en een mislukt huwelijk achter de rug had. Van zijn karakter kon ze geen hoogte krijgen, hij bleef oppervlakkig. Ondertussen was ze nog wel verliefd op hem.
Tussen Monica en David was een hechte vriendschap ontstaan. Veel meer dan dat zelfs, maar hij had zich nog nooit duidelijk uitgesproken over zijn gevoelens voor haar. Ze maakte zich er ook niet druk om. Aan al zijn gedragingen merkte ze dat ze heel veel voor hem betekende en de rest kwam vanzelf wel, dacht ze. Tenslotte hadden ze allebei een verleden op het gebied van de liefde. Waarschijnlijk wilde hij eerst heel zeker van zijn zaak zijn voor hij serieuze toekomstplannen ging maken, bang voor een nieuwe mislukking. En eigenlijk dacht zij er hetzelfde over. Monica beschouwde deze periode als een rustige, serieuze kennismakingstijd en zag de toekomst heel zonnig in.
Van zijn schuldgevoelens jegens haar en de angst haar door een bekentenis kwijt te raken, wist ze niets. Dat kon ook niet, want hij hield het zorgvuldig verborgen. Toch wist hij heel goed dat hij het eens moest vertellen. Het liefst voor ze er op een andere manier achter kwam. Maar het was moeilijk om met zo'n bekentenis voor de dag te komen en eigenlijk was er altijd wel een excuus te bedenken om het uit te stellen. Een excuus dat David dan met beide handen aangreep. Aan de andere kant wilde hij niets liever dan schoon schip maken tussen hen. Alles uitspreken en vervolgens vergeten om daarna toekomstplannen te gaan maken, eindelijk ronduit zeggen dat hij van haar hield. Het was

pure angst die hem tegenhield. Angst die niet helemaal ongegrond was, want Monica had al een paar keer laten merken dat ze de betreffende chauffeur niet kon vergeven wat hij haar aangedaan had. Vooral het feit dat hij doorgereden was en haar aan haar lot overgelaten had, had diepe indruk op haar gemaakt. Soms werd ze 's nachts zwetend wakker uit een nachtmerrie, zo diep had die gebeurtenis ingegrepen in haar leven.
Bij Carrie en Lex thuis ging alles rustig verder, soms leek het wel of er helemaal geen scheiding geweest was. De kinderen hadden Lex' terugkeer in het gezin moeiteloos geaccepteerd en Carrie verging het eigenlijk net zo. Het was soms net of ze nog gewoon getrouwd waren, behalve dan het feit dat hij in de logeerkamer bivakkeerde. Carrie stond nu heel wat sterker in haar schoenen dan een paar maanden geleden, maar hij begon nooit over terugkeren naar zijn eigen huis. Tijdens hun huwelijk waren ze al nooit een romantisch, hartstochtelijk stel geweest en dat waren ze nu ook niet. Ze leidden gewoon hun eigen kalme leventje. Eens moest er een gesprek komen en een beslissing genomen worden, daar waren ze zich allebei van bewust, maar deze ontspannen tussenperiode beviel hen eigenlijk heel goed. Er waren geen ruzies, geen verwijten en geen verplichtingen tegenover elkaar.
Wat veranderd was waren de gesprekken tussen hen. Carrie was door de omgang met haar vriendinnen niet meer alleen gefixeerd op haar kinderen, maar toonde ook belangstelling voor de buitenwereld, iets waar Lex zich alleen maar over kon verheugen. Hij bedacht vaak dat Carries karakter meer diepgang had gekregen door de crisis waar ze doorheen was gegaan en dat beviel hem wel. Hij hoopte alleen dat het zo zou blijven en ze weer niet terug zou vallen in haar eigen kleine cirkeltje van ik-en-de-kinderen. Dat was ook de reden van zijn afwachtende houding ten opzichte van hun relatie.
Han voelde zich de laatste tijd vaak eenzaam tussen haar vriendinnen. Stella had Jurgen, Carrie had Lex en Monica had David. En zij, Han, stond alleen. Niet dat ze nou zat te springen om een vaste relatie, integendeel zelfs, maar het feit dat zij de enige nog van hun groepje was die alleen stond, stemde haar niet bepaald gelukkig. Met enige bitterheid herinnerde ze zich de avond dat hun verbond opgericht werd. 'Verbond van Vier Vrije Vrouwen',

werd er toen gezegd. En wat was het resultaat? Binnen een half jaar was er nog maar één Vrije Vrouw over.
Natuurlijk hadden ze vanaf het begin geweten dat het niet eeuwig stand zou houden, maar Han had nooit verwacht dat het maar zo'n korte periode zou duren. Hoewel ze het zelf een belachelijke gedachte vond, voelde ze zich toch een beetje in de steek gelaten.
Zo piekerend laveerde ze op een zaterdagmiddag met een karretje door de propvolle supermarkt. Ze miste het opgewekte gebabbel van Mirjam, die op een verjaardagspartijtje was van een vriendinnetje van de peuterspeelzaal. Totaal verdiept in haar zwartgallige gedachten botste ze tegen een ander vol winkelwagentje en Han mompelde afwezig een excuus.
„Geeft niks, dat heb je nou eenmaal in die drukte. Hé, u bent toch mevrouw van Dijk," reageerde de man waar ze tegenaan gereden was.
Opmerkzaam, nu bleek dat het een bekende betrof, keek Han de man recht aan, maar zijn aantrekkelijke gezicht met het al wat grijzende haar en felblauwe ogen zei haar niets.
„Ken ik u ergens van dan?" vroeg ze, zoekend in haar geheugen.
„Ik heb ooit eens een klacht bij u ingediend over de arbeidsomstandigheden in het bedrijf waar ik werk," vertelde de man opgewekt. Hij leunde nonchalant op zijn karretje en had blijkbaar wel zin in een praatje. „U bent toen komen kijken en de situatie bleek zo gevaarlijk te zijn voor de gezondheid dat het werk direct stilgelegd moest worden."
„O ja, in die verffabriek," herinnerde Han zich.
Het gezicht tegenover haar was haar nog steeds volkomen vreemd, maar de situatie die de man beschreef, lag nog vers in haar geheugen, omdat het een hele toestand geworden was. Over het algemeen besprak ze gevaarlijke toestanden met de werkgevers en werd er een termijn afgesproken waarin de veranderingen moesten worden doorgevoerd. Onmiddellijke stillegging van het werk was iets wat zelden voorkwam, daarom herinnerde ze zich dit geval nog heel goed.
„Dat u zich mijn naam en gezicht nog weet te herinneren," verbaasde Han zich. „Het is toch al gauw een maand of vijf, zes geleden."

„Mooie vrouwen vergeet ik nooit, zeker niet als ze zo'n bijzondere uitstraling hebben als u," zei hij complimenteus. Over het wagentje heen reikte hij haar zijn hand. „Wim Lubbingh."
De om hen heen dringende mensen schenen hem niet te deren, hij stond net zo genoeglijk te praten alsof hij thuis op de bank zat.
Het complimentje deed Han wel wat. Daar was ze altijd al gevoelig voor geweest, maar in haar gemoedstoestand van de laatste weken helemaal.
„Dank je wel, dat klinkt heel aardig," zei ze een tikkeltje koket. „Maar je mag er zelf ook best wezen."
„Dan vormen we een mooi stel, qua uiterlijk. Wat dacht je ervan om vanavond samen uit te gaan? Dan kunnen we testen of onze karakters ook een beetje overeenstemmen."
Dit was een aanpak die Han wel beviel. Geen flauwekul, gewoon rechtuit zeggen wat de bedoeling was. Ze deed dan ook niet of ze er over na moest denken en vroeg zich ook niet hardop af of ze wel kon, maar nam het voorstel zonder meer aan.
„Lijkt me gezellig. Kom je me halen of spreken we ergens af?"
„Dat is mijn stijl niet, natuurlijk kom ik je halen. Het is voor een vrouw alleen heel vervelend om ergens op een man te moeten wachten, dat wil ik je niet aandoen."
Han krabbelde haar adres op een blaadje en overhandigde hem dat met een glimlach. „Tot vanavond dan, acht uur."
De rest van de dag voelde ze zich een stuk beter. Het korte gesprekje met Wim en de bewondering die uit zijn ogen sprak hadden haar eigenwaarde behoorlijk opgekrikt. Ze verheugde zich op de komende avond. Dit soort onverwachte gebeurtenissen had altijd een grote aantrekkingskracht op Han gehad en uit ervaring wist ze dat spontaan gemaakte afspraakjes meestal de gezelligste waren. Bovendien vond ze het spannend om met een vreemde man mee te gaan, omdat het zo onvoorspelbaar was. Het was altijd afwachten hoe zo'n avond zou verlopen, maar als het geen succes zou zijn was ze zo vertrokken. Ze was tenslotte prima in staat om zichzelf te redden.
Carrie toonde zich bereid die avond op Mirjam te passen en bood meteen aan om haar te laten logeren, zodat Han niet op de tijd hoefde te letten. Tot Hans opluchting bleven welgemeende, maar overdreven bezorgde adviezen van Carries kant uit. Sinds die

affaire met Koos was ze dat aardig afgeleerd, bedacht Han grinnikend.
Ze besteedde extra veel aandacht aan haar uiterlijk, daar had ze vandaag net een bui voor. Na een gezichtsmasker en een uitgebreid bad, maakte Han zich licht, maar geraffineerd op. Het lange, donkere haar werd opgestoken en vastgezet met twee grote, zilverkleurige sierspelden. Het simpele, blauwe jurkje wat ze aantrok zag er bedrieglijk eenvoudig uit, maar viel perfect om haar slanke heupen. Een zilveren ketting, zilvergrijze panty's en schoenen in de kleur van haar jurk vervolmaakten het geheel. Keurend bekeek ze zichzelf in de grote passpiegel in haar slaapkamer. Ja, zo kon het wel. Haar jurk had een degelijke lengte, maar was aan de hals net mooi genoeg uitgesneden om te maken dat hij niet saai werd.
Precies op de afgesproken tijd arriveerde Wim. Hij toeterde niet, maar stapte uit om aan te bellen en hield bij het instappen het portier voor Han open.
„Galant hoor, dat zie je niet veel meer tegenwoordig," prees ze.
„Ik hou er nu eenmaal van om het vrouwen naar de zin te maken. Die willen altijd graag verwend worden." Zijn woorden klonken dubbelzinnig en hij keek haar ook even betekenisvol aan.
Hè bah, het enige wat nog ontbrak was een vette knipoog, dacht Han. Een licht onbehaaglijk gevoel begon bezit van haar te nemen, maar dat verdrong ze snel naar de achtergrond. Iedereen zei wel eens iets wat verkeerd overkwam, maar niet zo bedoeld was. Ze kon hem op zijn minst het voordeel van de twijfel gunnen.
Hij reed naar een cafeetje in de binnenstad, dat aan de buitenkant een frisse en verzorgde indruk maakte, maar er binnen nogal groezelig uitzag. De barkeeper liet de rillingen over Hans rug lopen, alleen al door zijn vieze, onverzorgde uiterlijk.
„Dit is mijn stamkroegje," vertelde Wim opgewekt. „Ik had gedacht hier eerst wat te drinken, dan kunnen we rustig overleggen wat we de rest van de avond gaan doen." Hij leidde haar naar de bar en trok gedienstig een kruk voor haar bij. „Wat wil je drinken?"
Han bestelde een tonic met citroen en op zijn: „Joh, neem wat sterkers, dat is gezellig," beweerde ze staalhard dat ze nooit een druppel dronk.

„Ik kan niet tegen alcohol, dan word ik doodziek en spuug de hele zaak onder," overdreef ze vrolijk.
Zijn niet mis te verstane blikken vertelden haar dat ze beter goed bij haar positieven kon blijven. Hij kwam haar bij nader inzien een beetje te glibberig over, echt zo'n man die dacht dat hij het bij de vrouwen gemaakt had en ze allemaal in kon pakken met zijn charmante glimlach. Nu, dan was hij bij haar duidelijk aan het verkeerde adres!
Han bleef enigszins gereserveerd tegen hem en toen Wim op een gegeven moment vertrouwelijk zijn hand op haar knie legde, schoof ze hem rustig, maar beslist weer weg. Ze zei er niets bij, maar hij leek haar bedoeling te begrijpen en probeerde het geen tweede keer. Na één drankje stelde Han voor om ergens anders heen te gaan.
„Het spijt me, maar de sfeer hier bevalt me niet," zei ze eerlijk. Ze keek naar twee mannen die met verhitte hoofden aan de bar zaten te discussiëren en naar een luidruchtig stel jonge mensen aan een paar tafeltjes, die duidelijk al heel wat op hadden. „Een paar straten verderop is een nieuwe zaak waar ik enthousiaste verhalen over gehoord heb. Er treden op zaterdagavond bekende artiesten op en je kunt er ook dansen. Zullen we daarheen gaan?"
Wim stemde meteen toe en hielp haar in haar jas. Het viel Han op hoe vanzelfsprekend zijn manieren waren. Hij was heel hoffelijk en charmant, zonder dat het overdreven overkwam.
De zaak die Han bedoelde, was propvol mensen, maar inderdaad heel gezellig. Er trad een bekend duo op en die sleepten iedereen mee. Er heerste een uitstekende sfeer en Han en Wim beleefden daar een leuke avond. Omdat het zo druk was zaten ze met een ander stel aan een tafeltje, wat Han prima beviel. Dat weerhield Wim er tenminste van toenaderingspogingen te doen. Ze vond hem niet onaardig, maar de kennismaking was haar tegengevallen en ze was niet van plan om op zijn avances in te gaan.
Om halftwaalf stapten ze op, op voorstel van Han, die vond dat ze nu lang genoeg in zijn gezelschap verkeerd had. Allebei waren ze tevreden over deze avond.
„Dit is een zaak om vaker heen te gaan," vond Han.
„Toch wel met mij samen, hoop ik?" Nu ze met zijn tweeën in de

beslotenheid van zijn wagen zaten, durfde Wim weer en Han zuchtte.
Ze had misschien beter een taxi kunnen nemen, maar vanaf het moment dat ze resoluut zijn hand van haar knie af had gehaald, had hij geen aanleiding meer gegeven om haar te laten denken dat hij meer wilde dan zomaar een leuke avond.
„Misschien met jou," antwoordde ze voorzichtig. „Maar er zijn meer mannen met wie ik regelmatig uitga. Ik ben aan niemand gebonden en maak zelf uit of en met wie ik uitga."
„Ik ook en ik ben van plan om dat veel met jou te doen." Hij parkeerde de wagen in haar straat en sloeg onverhoeds een arm om haar schouder. „Geef me eens een zoen."
„Zeg, schei uit," reageerde Han ongeduldig. Ze probeerde los te komen, maar zijn greep werd een stuk steviger. Hij had haar nu met twee handen vast en Han kon geen kant op. Ze voelde zijn mond strelend langs haar wang gaan en rook de walm van bier die uit zijn mond kwam. Walgend draaide ze haar hoofd om, maar dat beviel hem niet.
„Ben ik soms niet goed genoeg voor je?" siste hij kwaad. „Doe maar niet zo preuts, ik weet precies hoe je in elkaar steekt. Zowat de halve stad heeft het bed met je gedeeld en ik zie geen enkele reden waarom ik daar niet bij zou horen." Met één hand hield hij haar stevig vast en de andere hand liet hij afzakken, langs haar borsten en haar buik tot hij haar benen bereikt had. „Wij gaan een paar hele prettige uurtjes beleven samen," fluisterde hij hees. Met zijn vingers draaide hij cirkeltjes op haar dijbeen en glipte daarna onder haar jurk, waar hij haar ruw betastte.
Han dacht koortsachtig na. Ze had jaren op judo gezeten, speciaal om in dit soort situaties de sterkste te kunnen zijn, maar hij had haar overvallen en nu ze eenmaal vast zat kon ze geen kant op. Zijn armen hielden haar in een ijzeren greep. Ze wist dat ze verloren zou zijn als ze in de wagen bleven. Ze moest hem eruit zien te krijgen, de straat op. Daar zou zij de sterkste zijn, dat wist ze.
„Niet zo haastig," zei ze met een glimlach. „Het is mijn stijl niet om het in een auto te doen, ik ben beter gewend. Bovendien hou ik niet zo van een ruwe aanpak, tenslotte hebben we alle tijd." Ze zoende hem vol op zijn mond om haar woorden kracht bij te zetten en hij leek overtuigd van haar goede bedoelingen. „Kom mee

naar binnen," nodigde ze hem vervolgens uit. Het kostte haar een heleboel inspanning om zich zo te gedragen, maar ze wist dat het nodig was. Het liefst wilde ze die enge grijns van zijn gezicht slaan en ze was vast van plan om dat te doen ook, op het juiste moment.

„Ik wist wel dat ik je over kon halen," zei hij tevreden.

Om geen argwaan bij hem te wekken, bleef Han rustig zitten tot hij uitgestapt was en het portier aan haar kant opende. Ondertussen stopte ze wel snel haar huissleutel in haar jaszak. Hij hielp haar met uitstappen en op het moment dat ze tegenover elkaar stonden en hij het het minst verwachtte, sloeg Han toe. Ze schopte met haar knie in zijn kruis en terwijl hij dubbel sloeg deelde ze nog enkele rake klappen uit, tot hij kreunend over de motorkap van zijn wagen lag.

„Vuile schoft, waag het niet om nog één keer bij me in de buurt te komen!" riep ze met overslaande stem, maar zonder haar kalmte te verliezen. „De eerste de beste keer dat je aan mijn deur durft te komen of probeert te bellen, schakel ik de politie in."

Zonder hem nog een blik waardig te keuren draaide ze zich om en ging haar huis binnen. Wim was zo overbluft dat hij geen enkele poging deed om haar achterna te komen. Van achter het raam van haar huiskamer zag Han dat hij vloekend instapte en wegreed en ze slaakte een diepe zucht. Hij was weg, de schoft, de vuile etterbak, de... bah! Ze was zo kwaad dat ze geen woorden kon vinden om hem te omschrijven.

Ze schonk iets te drinken in en stak een sigaret op en op dat moment voelde ze zich helemaal slap worden. Ze begon van top tot teen te rillen en dacht dat ze uit elkaar zou barsten van ellende. Zonder zich te realiseren dat het over twaalven was, begon ze het telefoonnummer van Stella te draaien, wat pas na verschillende keren lukte.

„Ja?" klonk het kort.

„Ik, ik... Met Han. Hij..." Han zat zo te beven dat ze niet eens uit haar woorden kon komen, maar Stella had niet zoveel uitleg nodig.

„Ben je thuis? Ik kom eraan." Ze wendde zich naar David, die de avond bij hen had doorgebracht. „Wil jij me even snel naar Han rijden?"

„Wat is er nu weer aan de hand?" verzuchtte Monica.
„Geen idee, maar ze klonk alsof ze heel hard iemand nodig heeft."
David had zijn jas al aan en binnen tien minuten waren ze bij Han, die als een angstig vogeltje in elkaar gedoken op de bank zat. Zonder woorden sloeg Stella haar armen om haar heen, wachtend op een huilbui die niet kwam. Han was teveel geschrokken om te huilen. Jammer genoeg, want waarschijnlijk zou het enorm opluchten en een heleboel spanning wegwerken.
„Ik was zo bang," zei Han na lange tijd simpel.
„Maar wat is er gebeurd dan? Was er soms een inbreker of zo? Han, zeg iets!"
Wezenloos schudde Han haar hoofd. „Nee, het was Wim. Hij... Hij wilde..."
Langzaam begon Stella te begrijpen wat ze bedoelde. „Bedoel je soms dat je... dat je verkracht bent?" vroeg ze hevig geschrokken. Tot haar grote opluchting antwoordde Han meteen ontkennend.
„Nee, maar het was heel erg. Ik ben zelden zo bang geweest als net in die wagen. Zijn ruwe handen, zijn mond." Ze zei het toonloos, alsof ze een uit het hoofd geleerd lesje opzei en Stella begreep dat Han een enorme psychische klap gekregen had, hoe kort het incident misschien ook maar geweest was.
„Je gaat met ons mee en blijft vannacht bij mij, zo kun je niet alleen achterblijven."
Han protesteerde niet eens, een bewijs te meer voor Stella om te weten dat dit haar heel diep geraakt had. Zwijgend reden ze terug naar Stella's huis, waar die meteen met Han naar boven ging, terwijl David de huiskamer inliep om Monica in te lichten.
„Ik ga nu maar naar huis," voegde hij eraan toe. „Ik weet niet of Han nu naar bed gaat, maar als ze zo nog naar beneden komt, zal ze er niet veel behoefte aan hebben om een man aan te treffen. Zoiets is het beste te bepraten met vriendinnen, denk ik. Ik bel je morgen, goed?" Hij kuste haar en Monica zwaaide hem gedachteloos na.
Stella legde Han als een klein kind in bed. Ik doe niet anders de laatste tijd, bedacht ze met galgenhumor. Eerst Carrie en nu Han weer. Ze had een onschuldig, homeopathisch slaapmiddeltje in

huis, wat ze zelf ook wel eens gebruikte en liet Han daar iets van innemen. Wonderlijk snel deed het zijn werk; binnen een kwartier was Han in slaap gevallen, al was het dan niet rustig en droomloos.
„En, hoe is het met haar?" wilde Monica meteen weten.
Met een vermoeid gebaar streek Stella door haar haren.
„Ze slaapt nu, dankzij een middeltje. Ze ligt in Chantals bed en die slaapt nu bij Eric aan het voeteneind, ik moest even snel improviseren." Ze stak een sigaret op en inhaleerde de rook diep. „Ze reageerde zo vreemd. Wel angstig, maar aan de andere kant weer net alsof het buiten haar om ging. Dit is helemaal niets voor Han. Normaal is ze altijd zo sterk, zo levenslustig, de meest wilskrachtige van ons vieren. En nu laat ze alles maar met zich doen. Het beangstigt me een beetje."
„Ben je gek, dat is heel normaal. Niemand reageert kalm en nuchter op zo'n situatie en dat is logisch. Morgen is ze een heel stuk opgeknapt, dat zul je zien."
„Ik hoop het." Stella zuchtte en begon de glazen en asbakjes van de tafel af te ruimen. „We zullen maar gaan slapen. Han zal ons morgen hard nodig hebben."
Een kwartier later was het huis in duisternis gehuld, maar de enigen die rustig sliepen waren de kinderen.

HOOFDSTUK 13

De volgende morgen was Han vrij kalm, maar Monica zag dat er een opgejaagde blik in haar ogen lag.
„Wil je erover praten?" vroeg ze hartelijk.
Han haalde nonchalant, té nonchalant, haar schouders op. „Ach, wat heeft dat voor nut? Het is nu eenmaal gebeurd, ik moet het gewoon vergeten."
„Dat is makkelijker gezegd dan gedaan. Als je het kwijt wilt, zeg dat dan. Je weet dat we bereid zijn om te luisteren, al vertel je het twintig keer."
„Lief van je, maar het hoeft echt niet. Het heeft geen zin om het steeds weer op te rakelen. Bovendien is er niets gebeurd."
„Niets gebeurd? Meid, je mag van geluk spreken dat je ooit aan judo hebt gedaan, anders had je hier misschien niet eens meer gezeten. Je gevoelens wegduwen is geen oplossing, hoor. Er zijn mensen voor minder bij een psychiater terechtgekomen," meende Monica bezorgd, maar Han lachte haar hartelijk uit.
„Zeg, waar zie je me voor aan? Ik vind het heel nuttig dat er psychiaters bestaan, maar aan mij zullen ze niets verdienen. En hou er nu alsjeblieft over op, want er is niets aan de hand. Wim is gewoon een opdringerige vent die iets probeerde, maar wat hem niet gelukt is. Klaar uit!"
Monica voldeed aan dat verzoek en hield verder haar mond, maar ze dacht des te meer. Han probeerde nu wel zo gewoon te doen, maar een kind kon zien dat ze achter dat masker niet zo onverschillig was als ze wilde doen voorkomen. Dat ze daar gelijk in had, werd even later bewezen toen Stella ook beneden was en ze met zijn drieën aan de koffie zaten.
„Zal ik Carrie bellen of Mirjam nog een nachtje bij haar kan slapen? Dan kun jij hier blijven," stelde ze voor.
Han nam dat aanbod gretig aan en Stella en Monica wisselden een veelbetekenende blik. Dit was niets voor de zelfstandige Han, die graag het weekend alleen met haar dochter doorbracht. Han streed inderdaad een hevige strijd met zichzelf, al liet ze daar dan weinig van merken. Ondanks een uitgebreide douche voelde ze zich vies en het was net of die plakkerige handen van Wim nog op haar lichaam drukten. Wat haar echter het meeste

dwars zat, waren zijn woorden. „Doe maar niet zo preuts, ik weet precies hoe je in elkaar steekt. Zowat de halve stad heeft het bed met je gedeeld."
Dachten de mensen zó over haar? Waren dit de praatjes die de ronde deden? Han wist heus wel dat mensen over haar kletsten en dat ze die roddels door haar eigen, vrijmoedige houding aanwakkerde. Daar had ze trouwens pas nog een gesprek met Monica over gehad, herinnerde ze zich. Maar dat het zo erg was en dat daar zulke situaties uit voortvloeiden, had Han in haar stoutste dromen nooit verwacht. Ze vond het wel leuk om een beetje te provoceren, maar nu had deze houding zich tegen haarzelf gekeerd. Die woorden van Wim, die niet meer uit haar gedachten waren geweest sinds hij ze uitgesproken had, gaven haar zelfvertrouwen een flinke deuk. Ondanks dat ze woedend op hem was voor wat hij haar had aangedaan, bekroop haar ook een schuldgevoel. Ze beschuldigde zichzelf ervan dat ze het uitgelokt had.
Ze was haar vriendinnen dankbaar voor het feit dat ze haar rustig haar gang lieten gaan en haar aanwezigheid accepteerden als iets heel gewoons, zonder haar meewarig te behandelen.
's Middags kwam Jurgen onverwachts langs. Stefan en Eric hadden hem al een paar keer gezien ondertussen en met de flexibiliteit die kinderen eigen is, hadden ze de gelijkenis met hun vader zonder meer geaccepteerd, vooral Eric. Stefan had het er moeilijker mee, maar begreep wel hoe het zat.
Stella ontving Jurgen met gemengde gevoelens. Natuurlijk was ze blij dat ze hem zag, maar eigenlijk was het net zo gezellig met zijn drieën en de kinderen. Ze hadden een heerlijke, huiselijke zondag en Jurgen was niet iemand die de stemming verhoogde. Han, die hem nog niet eerder ontmoet had, werd door Stella aan hem voorgesteld en peinzend vergeleek ze hem met het grote schilderij van Eric. Ja, hun gezichten leken sprekend op elkaar, maar Han kon zich niet voorstellen dat ze die twee ooit door elkaar zou halen. Eric had een open, kwajongensachtige blik in zijn ogen en er lag een gulle lach op zijn gezicht. Wat dat betrof was Jurgen het tegenovergestelde. Zijn ogen waren kil en emotieloos en zijn gezicht was een masker waar geen plooitje op te ontdekken was.

Stella gedroeg zich meteen weer lichtelijk nerveus nu Jurgen in de buurt was. Ze liep af en aan met drankjes en zoutjes, zette zijn lievelingsmuziek op en maande de kinderen het wat rustiger aan te doen. Jurgen had al snel door dat Han niet zomaar op visite was en er verscheen een afkeurende trek om zijn mond.
„Stella, zullen we even naar het strand rijden?" zei hij abrupt midden in een gesprek. „Ik heb zin om een eind te lopen en wil graag even rustig met je praten."
„Nu?" Onzeker keek Stella in het rond. „Maar de kinderen dan? En Monica en Han zijn hier en..."
„Dat komt juist goed uit, nu kan jij even rustig weg," viel Han haar in de rede. „Ik zorg wel voor de kinderen en om het eten hoef je je ook geen zorgen te maken, want ik trakteer op een Indische rijsttafel."
„Dus het kan echt wel?"
„Natuurlijk. Ga maar gauw, anders is het de moeite niet meer."
Stella liet zich overhalen en voor ze wist wat er gebeurde, zat ze naast een zwijgzame Jurgen in zijn wagen. Eigenlijk was ze een beetje kwaad op zichzelf omdat ze zich zo had laten overrompelen. Jurgen keek stug voor zich uit en dat hielp ook niet mee om haar op haar gemak te stellen en te genieten van dit onverwachte uitje.
„Wat is er zo belangrijk dat je ineens op stel en sprong met me wilt praten?" vroeg ze ongeduldig toen zijn zwijgen op haar zenuwen ging werken.
„Ik wilde gewoon eventjes alleen met je zijn," verklaarde hij kalm. „In jouw huis is daar geen gelegenheid voor. Er lopen altijd kinderen rond, Monica logeert bij je en nu is die Han er weer bij."
„Mijn kinderen zijn er nu eenmaal en als jij met mij verder wilt zul je ze moeten accepteren, want ze zijn het belangrijkste in mijn leven. En wat mijn vriendinnen betreft: als ze mijn hulp nodig hebben en ik ben in staat ze die te geven, dan doe ik dat. Daar heb ik jouw toestemming helemaal niet voor nodig." Stella had rustig gesproken, maar binnenin haar begon iets te borrelen.
„Maar ik wil jou ook wel eens voor mij alleen hebben. Ik heb het gevoel dat je je vriendinnen belangrijker vindt dan mij."
„Als het nodig is wel, ja. Maar als ik bijvoorbeeld een afspraak met Carrie heb en jij belt op dat je ziek bent, dan kom ik naar jou

toe en zeg mijn afspraak af. Dat is een kwestie van prioriteiten stellen."

Jurgen gaf daar geen antwoord op. Hij parkeerde zijn wagen, stapte uit en leidde Stella aan haar elleboog de trap naar het strand af. Met een gevoel van ontzag dat haar telkens overviel als ze de zee zag, keek Stella naar de aanrollende golven. Dit was zoiets groots, zoiets machtigs, daar waren gewoon geen woorden voor. Hierbij vergeleken waren mensen toch maar hele nietige wezentjes. Ze was zo verdiept in het schouwspel dat ze zich niet realiseerde dat Jurgen geen antwoord had gegeven.

Alsof het afgesproken was begonnen ze na een minuut of tien allebei tegelijk te lopen, tegen de wind in.

„Waarom is Han nu eigenlijk ineens bij jou?" vroeg Jurgen opeens.

„Omdat dat nodig was," antwoordde Stella prompt. Ze vertelde hem wat er de vorige avond voorgevallen was. „Ze was er zo beroerd aan toe, ik kon haar niet alleen achterlaten," eindigde ze.

Tot haar verbijstering reageerde Jurgen met een onverschillig ophalen van zijn schouders.

„Ze zal het zelf wel uitgelokt hebben," zei hij kort.

„Wat?" Stella hapte naar adem. „Waar haal jij het lef vandaan om zoiets te zeggen? Mannen zijn altijd onaantastbaar, hè? Het is verdomd makkelijk om zoiets te zeggen, maar waar staaf jij je oordeel op? Je zou je verdorie moeten schamen voor het feit dat je een man bent, in plaats van zulke infame beschuldigingen te uiten!" Ze was blijven staan en slingerde haar woorden in zijn gezicht, maar het maakte niet de minste indruk op hem.

„Wind je niet zo op," verzocht hij. „De mensen kijken naar ons." Hij wilde haar meetrekken, maar Stella rukte zich woedend los.

„Wat kan mij dat schelen!" raasde ze door. „Ik vraag me af waar jij je oordeel op baseert. Je kent Han nauwelijks een uur."

„Zulke types doorzie je toch onmiddellijk. Kijk alleen maar eens naar de manier waarop ze zich kleedt. En geloof me, ik weet heus wel waar ik over praat. Mijn ex-vrouw was precies hetzelfde en dat werd uiteindelijk de ondergang van ons huwelijk."

Er lag een ondertoon van verdriet en onmacht in zijn stem en daardoor kalmeerde Stella enigszins.

„Jouw ex-vrouw heeft hier niets mee te maken. Han is een vrije,

zelfstandige vrouw en niemand heeft iets over haar leven te zeggen. Al zou ze iedere dag met een andere vent naar bed gaan, dat moet ze zelf weten. Maar ze heeft ook het recht om te weigeren en een man heeft dat maar gewoon te accepteren. Niemand heeft het recht een ander mens zoiets aan te doen."
Hij liet een bitter lachje horen. „Een vrouw heeft ook niet het recht om een man te vernederen, maar als dat gebeurt wordt het aan alle kanten goed gepraat. Vrouwen heten in zulke gevallen feministen, mannen worden meteen schoften genoemd en de grond in geboord."
Stella wist hier niets op te zeggen. Ergens had hij gelijk, besefte ze, maar ze bleef erbij dat een man zijn kracht niet mocht gebruiken om een vrouw tot handelingen te dwingen die ze niet wilde. Dat was gewoon iets onwaardigs. Er liepen talloze vrouwen rond die zoiets meegemaakt hadden en ze waren er allemaal op de een of andere manier door geschonden.
„Hoe je het ook wendt of keert, het is pure verkrachting en dat vind ik iets misdadigs," zei ze tenslotte. „Sorry Jurgen, maar ik kan me niet verenigen met de manier waarop jij denkt. Eric zou zo'n gedachte niet eens in zijn hoofd halen, laat staan dat hij ooit het lef zou hebben om het uit te spreken. En er zijn meer dingen in jouw karakter die me niet bevallen. Je bent stug, oppervlakkig en je bezit totaal geen gevoel voor humor. Een diepgaand gesprek is met jou niet mogelijk, je wuift alles weg. Ik kan me ook niet voorstellen dat een vrouw ooit steun aan je zal hebben, want daar ben je niet toe in staat."
Stella was verbaasd over zichzelf, dat ze eindelijk de moed had om hem dit openlijk te zeggen. Ze worstelde al een tijd met deze gevoelens, maar durfde er nooit aan toe te geven. Nu was het dan wel gebeurd, omdat zijn visie op bepaalde zaken haar eindelijk duidelijk de ogen had geopend. Het luchtte enorm op om hardop te zeggen wat al weken in haar gedachten sluimerde.
Jurgen had met een bleek, afgewend gezicht naar haar tirade geluisterd. „Eigenlijk ben je alleen maar kwaad omdat ik Eric niet ben," constateerde hij. „Het spijt me, maar ik kan niet met een dode concurreren."
„Je hebt gelijk," gaf Stella meteen eerlijk toe. „Ik heb het al die tijd niet aan mezelf durven bekennen, maar het is zo. Jouw uiter-

lijke gelijkenis met hem heeft me op een dwaalspoor gezet en het viel me enorm tegen dat jullie karakters totaal niet met elkaar overeen stemmen. Ik verwijt jou niks, Jurgen. Het is mijn eigen schuld dat mijn verwachtingen niet zijn uitgekomen."
„Dan valt er niets meer te zeggen tussen ons, neem ik aan. Kom, ik breng je naar huis."
Zoals gewoonlijk ging Jurgen er niet dieper op in. Hij liet totaal niet merken hoe hij zich voelde nu er een eind was gekomen aan hun relatie.
Zwijgend legden ze de afstand naar de wagen af en nog steeds zwijgend reden ze terug, ieder verdiept in hun eigen gedachten. Jurgen had gelijk; er viel helemaal niets meer te zeggen. Het was gewoon over. Het afscheid was dan ook kort en koel. Hoewel Stella het jammer vond dat het zo gelopen was, was opluchting toch het gevoel dat de boventoon voerde.
Han en Monica keken verbaasd op dat Stella zo snel weer terugkwam en alleen was.
„Is Jurgen niet meegekomen?" Het was een overbodige vraag van Han, meer bedoeld als aanloopje.
„Nee, hij komt helemaal niet meer. Het is uit tussen ons." Stella zei het rustig, maar ongemerkt liepen er toch een paar tranen over haar wangen. Han en Monica, die dachten dat ze verdriet had, lieten haar rustig bijkomen. Stil zaten ze met zijn drieën bij elkaar. Han vroeg zich wanhopig af hoe ze Stella moest troosten, nu ze zelf nog zo in de war was. Weer voelde ze Wims handen op haar huid en ze rilde.
„Ik ga koffie zetten, daar hebben we allemaal wel trek in, denk ik."
Met snelle passen liep ze de kamer uit om weer tot zichzelf te komen.
„Waar zijn de kinderen eigenlijk?" vroeg Stella, haar tranen afvegend.
„Met Lex en Carrie naar de speeltuin. Ze kwamen net nadat jij weg was gegaan en hebben het hele span meegenomen. Ze komen om een uur of zes terug en we hebben afgesproken dat ze met ons mee eten."
„Gezellig."
„Als jij dat nu aan kan, tenminste." Monica legde haar hand op

die van Stella. „Als je liever alleen wilt zijn begrijpen we dat best."
„Welnee, hoe kom je daar nu bij?" Stella bewoog haar schouders naar achteren, alsof ze iets van zich af wilde schudden. „Ik voel me prima."
„Ja, daarom huilde je natuurlijk," zei Han nuchter. Ze kwam net binnen en had Stella's laatste woorden gehoord.
„Ik huilde omdat ik het gevoel heb dat ik Eric nu pas definitief begraven heb," zei Stella ernstig. „Ik ben degene die de relatie met Jurgen verbroken heb, omdat ik vanmiddag pas goed realiseerde dat hij Eric niet is en ook nooit zal worden. Dat is maar goed ook trouwens, want je kunt het verleden niet oproepen en herbeleven. Ik geloof dat ik nu pas Erics dood aan het verwerken ben, dankzij Jurgen."
„Dan is jullie vriendschap toch ergens goed voor geweest," meende Monica opgelucht. Ze was blij dat Stella geen verdriet had omdat ze in de steek was gelaten, maar dat haar tranen een andere betekenis hadden.
Stella beaamde haar woorden meteen. „Ik ben blij dat dit gebeurd is, onze ontmoeting en de daaruit voortgevloeide vriendschap, bedoel ik. Nadat Eric overleden was heb ik genoeg andere mannen ontmoet, maar ik heb nooit iemand de kans gegeven. Onbewust vergeleek ik ze allemaal met hem en niemand kon dat doorstaan. Met Jurgen lag dat anders. Juist omdat die uiterlijke gelijkenis er was, stelde ik mezelf geen vragen over zijn karakter. Het was net of Eric teruggekomen was, dat gevoel overheerste alle verstandelijke argumenten. Ik wist wel dat Jurgen anders was, maar vanmiddag werd dat me extra duidelijk gemaakt en dat opende mijn ogen. Ik weet nu dat ik alleen verliefd was op zijn uiterlijk en dat Eric nooit meer terugkomt."
„Hoe kwam dat zo opeens dan?" vroeg Monica belangstellend.
„Hij zei een aantal vervelende dingen, daar werd ik kwaad om en van het één kwam het ander."
Stella hield haar antwoord expres een beetje vaag omdat ze Han niet wilde kwetsen, maar die doorzag haar onmiddellijk. Ze zei echter niets. Ze vermoedde wel van welke strekking Jurgens woorden geweest waren en ze kon hem niet eens ongelijk geven. Wat haar overkomen was, was haar eigen schuld, vond ze.

Althans gedeeltelijk, want ze kon en wilde Wim niet schoon praten, daar was ze te realistisch voor.
„Het klinkt misschien raar, maar ik heb het gevoel dat ik van een grote last ben bevrijd," zei Stella opgewekt. „Wat geweest is, is geweest, op naar de toekomst. Ik denk dat ik nu wel open sta voor een nieuwe relatie. In ieder geval ben ik voorgoed genezen van het idee dat een eventuele volgende vriend een tweede Eric moet zijn. Laten we daar maar op proosten." Ze schonk drie glazen witte wijn in en hief het hare omhoog naar haar vriendinnen. „Op de toekomst!"
De door Han gezette koffie stond vergeten in de keuken.
Om zes uur arriveerden Carrie en Lex en de huiskamer was ineens overvol. De zeven kinderen leken wel een wedstrijd te houden wie er het hardst kon vertellen. Zelfs de kleine Bas deed daar opgewekt aan mee, al waren het dan alleen wat onverstaanbare klanken die hij uitstootte. Lex en Han vertrokken naar de Chinees om een voorraad eten te halen en Carrie en Stella dekten de tafel. Monica zat prinsheerlijk al die arbeid vanaf haar stoel te bekijken.
„Het heeft toch wel zijn voordelen, zo'n gebroken been," plaagde ze.
„Wacht maar, onze kans om jou uit te buiten komt ook nog wel," dreigde Carrie.
Een half uur later zaten ze allemaal aan tafel, een gezelschap van twaalf personen. De stemming was luchtig en gezellig. Over de problemen waar iedereen mee te kampen had, werd niet gesproken. Ze genoten eenvoudig van dit moment.
Na het eten en de afwas stelde Lex voor dat hij met de kinderen vast naar huis zou gaan. „Dan hebben jullie weer eens een avond met zijn vieren," voegde hij eraan toe.
„Meen je dat?" Carrie keek hem verrast aan.
„Natuurlijk, dan kunnen jullie weer wat bijkletsen. Eerlijk gezegd heb ik weinig behoefte om daar tussen te zitten."
Hij kleedde de kinderen, Mirjam incluis, aan en Carrie liep met hem mee naar de voordeur.
„Lief van je," zei ze met een warme glimlach waar hij geboeid naar keek.
„Moet je vaker doen, zo lachen," adviseerde hij.

„O ja? Dan moet jij zorgen dat ik daar vaker reden voor heb." Ze daagde hem welbewust uit.
„Wie weet wat de toekomst nog brengt," sprak hij raadselachtig. „Tot vanavond. Neem een taxi als je naar huis komt, want ik hou er niet van als je in het donker alleen op straat loopt." Hij kuste haar vluchtig en met een warm gevoel zwaaide Carrie hem na. Lex was en bleef toch een schat, ondanks hun vroegere problemen, die meer en meer naar de achtergrond schoven.
Stella was bezig om Eric en Chantal in bed te leggen en Monica deed een spelletje mens-erger-je-niet met Stefan, dus liep Carrie naar de keuken, waar Han doelloos rondhing.
„Gaat het een beetje?" vroeg ze hartelijk.
„Welja, ik voel me prima," verzekerde Han haar. „Ik blijf nog een nachtje hier en morgen vanaf mijn werk ga ik gewoon lekker naar huis. Heb jij Karin nog gebeld?"
„Ja, ze komt Mirjam morgen bij mij halen. Ze mag natuurlijk ook bij mij blijven, maar het lijkt me voor haar beter om haar normale ritme te volgen en Karin vond het geen probleem om haar een keertje te halen."
„Oké, bedankt. Heb jij al gehoord dat Stella en Jurgen het uitgemaakt hebben?" stapte Han op een ander onderwerp over. Ze wilde het duidelijk niet meer over zichzelf hebben.
Carrie knikte. „Je, ze vertelde het net."
Kletsend liepen ze naar de kamer, waar ineens een ongekende rust heerste na de drukte van een half uur geleden. Ook Stefan werd na het spelletje naar bed gebracht, met de belofte dat hij daar nog wat mocht lezen.
Voor het eerst sinds lange tijd zaten de vier vriendinnen bij elkaar, zonder kinderen en zonder mannen en ze hadden een heerlijke avond. Carrie vertelde met glanzende ogen dat het nu zo goed ging tussen Lex en haar.
„Dus jullie blijven weer bij elkaar?" concludeerde Stella.
„Nou, dat weet ik eigenlijk niet, daar hebben we het nog helemaal niet over gehad." Carrie bloosde en keek verontschuldigend om zich heen. „Ik weet dat het raar klinkt, maar het is nu eenmaal zo. Hij woont nog steeds bij ons en maakt geen enkele aanstalten om weg te gaan en het loopt heel goed, zoals ik net al zei."
„Ik vind het een rare situatie, maar als jullie er gelukkig mee zijn,

vind ik het best," vond Monica. „Wie weet hoe David en ik dat nog eens gaan doen in de toekomst."
„Je schijnt er nogal zeker van te zijn dat er een toekomst voor jullie samen is," zei Han. Het klonk nogal cynisch, maar in de gegeven omstandigheden nam niemand haar dat kwalijk.
Monica knikte opgewekt. „Inderdaad, daar ben ik zeker van. Ik hou van hem en weet dat die gevoelens beantwoord worden. Dat merk ik aan ieder gebaar."
„Sorry, maar ik vind het gek dat hij het nooit gezegd heeft. Kijk maar naar Jurgen en Stella, dat is ook opeens uit."
„Ho, ho," kwam Stella daar tussen. „Dat had een hele andere oorzaak en dat heb ik duidelijk genoeg gezegd. Je moet de relaties die wij hebben niet als één geheel zien, ze staan alledrie los van elkaar. Wat bij de één perfect verloopt kan bij de ander grote problemen veroorzaken."
Nukkig haalde Han haar schouders op. „Als ik jullie zo bezig zie, weet ik in ieder geval zeker dat ik nooit een vaste relatie wil hebben. Niets dan ellende komt ervan."
Deze opmerking lokte een stroom van protesten uit, maar Han was niet te overtuigen.
„Ik geloof niet dat jij momenteel in staat bent om mannen objectief te beoordelen," merkte Monica even later op. „Dat is ook logisch na wat je hebt meegemaakt, maar je moet oppassen dat je niet gaat veralgemeniseren."
„Die kwestie met Wim heeft hier niets mee te maken. Ik heb nooit geloofd in een eeuwige verbintenis tussen man en vrouw. Volgens mij kleven daar alleen maar nadelen aan vast."
„Goed, dat is jouw mening, maar probeer dan niet om ons daar ook toe over te halen. Wees blij dat Monica en Carrie gelukkig zijn en laat het daarbij," kapte Stella het gesprek af.
Ze gingen over op een ander onderwerp, maar Han kon er niet van harte aan deelnemen, hoe gezellig ze het ook vond om weer eens met zijn vieren bij elkaar te zijn. Stella zei nu wel dat Monica en Carrie gelukkig waren, maar zij zag dat niet zo zitten. Bij allebei was er tenslotte nog niets uitgesproken. En in haar overspannen verbeelding van dat moment, zag Han helemaal niets rooskleurig in. Wie kon er nu gelukkig worden met een mán?

HOOFDSTUK 14

Op een zachte, windstille herfstavond zaten Monica en David in de wagen op de boulevard en genoten van de zonsondergang boven zee. David had zijn arm om Monica heen geslagen en zij leunde tevreden tegen hem aan. De sfeer en de hele entourage waren perfect, vond ze. Ze spraken geen woord, maar dat was ook niet nodig. Het was geen beklemmend zwijgen, meer een intieme stilte.

Wat Monica niet wist was dat David niets zag van het schilderachtige uitzicht. Hij had besloten dat vanavond het beslissende gesprek plaats moest vinden. Eindelijk zou hij opbiechten dat hij de oorzaak van haar ellende was, dat hij dronken achter het stuur had gezeten van de wagen die haar aangereden had. Thuis had het niet zo moeilijk geleken. Verschillende malen had hij gerepeteerd hoe hij het best kon beginnen, maar nu, in de beslotenheid van de wagen, kwamen die woorden niet over zijn lippen.

Hij keek even naar het lieve, vertrouwde gezicht dat tegen zijn schouder aanlag en voelde zijn hart zwaar worden. Hoe zou ze reageren? Waarschijnlijk zou ze woedend worden en de liefdevolle blik in haar ogen zou veranderen in haat. David probeerde het zich voor te stellen, maar schoof dat beeld weer snel weg. Nee, dat kon hij niet verdragen. Hij hield van deze vrouw, meer dan hij ooit in woorden uit kon drukken. Waarom juist zij? Waarom moest hem dit overkomen na alle ellende die hij al achter de rug had. Was er voor hem dan helemaal geen geluk weggelegd? Diep van binnen schreeuwde hij het uit, maar zijn gezicht bleef onbewogen.

Monica merkte helemaal niets van de strijd die hij voerde, want hij bezat een ijzeren zelfbeheersing. In de maanden die ze nu met elkaar omgingen had nog nooit iemand iets vreemds aan hem gezien, maar als ze samen waren voelde hij zich gelukkig en ellendig tegelijk. Daarom wilde hij Monica nog niet aan zich binden, eerst moest alles uitgesproken worden. Tussen hen mochten geen geheimen bestaan, ondanks de mogelijke gevolgen van een bekentenis.

Monica zuchtte diep toen het laatste spoortje rood uit de lucht verdwenen was.

„O, wat was dat een fantastisch mooi gezicht. Dank je wel dat je me hier mee naar toe hebt genomen, David. Het is weer eens iets anders dan tegen vier muren aan te moeten kijken." Ze ging rechtop zitten en haalde een pakje sigaretten uit haar tas, waar ze er twee van opstak en er één tussen zijn lippen schoof.
Op het moment dat David genoeg moed verzameld had en begon met: „Monica, ik moet je iets vertellen," ging zij geëmotioneerd verder: „Maandag gaat het gips eraf. Nog twee dagen, één weekend maar wat er nog tussen ligt. Weet je dat ik er verschrikkelijk tegenop zie?"
„Hoezo? Het lijkt me juist een bevrijding. Zo'n zware klomp om je been is niet bepaald makkelijk," zei David kort.
Weer een kans voorbij, dacht hij. Waarom moest ze daar nou net op dit moment over beginnen?
„Nee, maar je raakt eraan gewend, je past je bewegingen aan. Nu komt er weer een moeilijke tijd. Eerst fysiotherapie om de spieren soepel te maken, daarna weer helemaal opnieuw leren lopen. Ze hebben mee er al op voorbereid dat het pijnlijk wordt." Ze drukte haar sigaret met een wild gebaar uit en er kwam een harde blik in haar ogen. „En de schoft die me dit geleverd heeft loopt vrolijk rond en heeft nergens last van. Bah, ik kan die vent wel wat doen!"
David schrok van die woorden. Zo'n felle uitval had hij niet verwacht en weer vroeg hij zich af hoe ze zou reageren als ze wist dat hij de schuldige was. Hij gaf zichzelf niet veel hoop.
„Je weet niet hoe die man zich voelt," begon hij voorzichtig. „Waarschijnlijk barst hij van de schuldgevoelens en blijft hij het zichzelf altijd verwijten. Misschien heeft hij ook wel last van nachtmerries."
„Nou, die gun ik hem dan van harte." Het klonk hartgrondig. „Maar van die zogenaamde schuldgevoelens heb ik nog nooit wat gemerkt. Hij had nog niet eens het lef om me op te komen zoeken in het ziekenhuis."
„Daar had hij misschien hele goede redenen voor."
Monica schudde haar hoofd. „Sorry David, ik weet dat je het goed bedoelt, maar je kunt me niet overtuigen. Iedereen kan de fout ingaan en ik vind dat je ook de kans moet krijgen om een fout te herstellen, maar die man heeft zich zo minderwaardig

gedragen, daar heb ik gewoon geen woorden voor. Ik droom nog regelmatig van het moment dat ik op de grond viel en helemaal overgeleverd was aan mezelf, terwijl hij gewoon doorreed. Geloof me, dan voel je je echt een stuk oud vuil." Ze staarde met nietsziende ogen uit het raampje, vermande zichzelf toen weer. „Ik wil jou daar niet mee lastig vallen, dit is iets wat ik zelf moet verwerken. Vergeet het maar." Hij wilde haar in zijn armen nemen, maar ze weerde hem af. „Laat me maar, ik heb het momenteel gewoon een beetje moeilijk met mezelf." Een paar minuten zwegen ze, toen herinnerde Monica zich dat hij haar iets had willen vertellen. „Je zei net dat je me iets moet vertellen, wat was dat?" vroeg ze nieuwsgierig.
Ze keek hem vol aan en de moed zakte hem in zijn schoenen. Na haar woorden van daarnet durfde hij helemaal niets meer te zeggen, want hij wist dat hij haar dan zou verliezen. Hij kon het nu echter ook niet afdoen, want hij kende haar goed genoeg om te weten dat ze dan door zou vragen.
Dus pakte hij haar hand en zei met de moed der wanhoop: „Ik hou van je, Monica. Wil je met me trouwen?"
„O David, ik wil niets liever." Monica stortte zich gewoonweg in zijn armen en minutenlang bestond er niets anders meer buiten henzelf.
Eindelijk had hij het dan toch gevraagd, bedacht Monica gelukkig. Ze sloot haar ogen en gaf zich over aan zijn omhelzing.
David wist zelf niet welk gevoel bij hem voorop stond: geluk omdat ze elkaar voorgoed gevonden hadden, of ellende omdat zij niet wist wat hem bezighield. Eens moest hij het toch vertellen. Hij moest er niet aan denken hoe hard de klap bij haar zou aankomen als ze het van een ander zou horen. Maar als hij het zelf vertelde, zou hij haar hoogstwaarschijnlijk ook verliezen. Maar wat was het alternatief? De hele zaak de rest van hun leven in de doofpot stoppen? Hun toekomst bouwen op een bom, die elk moment kon ontploffen?
David probeerde de gedachten uit zijn hoofd te zetten. Hij wilde genieten van dit moment, van hun geluk, maar dat lukte hem niet. Het was geluk dat overschaduwd werd door een zwart, dreigend geheim.

Carrie en Lex beleefden een rustige zaterdag. Ze hadden al vroeg alle boodschappen voor het weekend in huis gehaald en genoten nu van de huiselijke rust. Remco speelde buiten met zijn vriendjes, Tina zat op haar kamer haar poppen met een eindeloos geduld aan en uit te kleden en Bas sliep. Carrie en Lex zaten naast elkaar op de bank, Lex verdiept in zijn krant en Carrie met een tijdschrift. Plotseling schoot ze overeind.
„Dit zou iets voor mij zijn. Hier loop ik nu al maanden naar te zoeken, zonder het onder woorden te kunnen brengen." Ze duwde het artikel wat haar zo getroffen had onder Lex' neus en wachtte gespannen zijn reactie af.
„Stervensbegeleiding?" Hij trok zijn wenkbrauwen op en keek haar vragend aan. „Weet je dat zeker? Sorry hoor, maar het klinkt een beetje...eh, morbide. Ik zou trouwens geen begeleider aan mijn bed willen als ik dood lig te gaan."
„Lees het nou eerst eens goed door, voor je commentaar levert," zei Carrie ongeduldig.
Hij voldeed aan haar verzoek en las alles grondig voor hij het tijdschrift weer opzij legde.
„Tja, ik weet eigenlijk niet goed wat ik erover moet zeggen. Voor mij zou het niets zijn, maar dat is natuurlijk geen maatstaf voor je." Hij pakte nogmaals het artikel en las voor de tweede keer wat het werk van een stervensbegeleider inhield. „Kort samengevat is het dus de bedoeling dat je in gezinnen helpt waar een terminale patiënt aanwezig is, dus gedeeltelijk de verzorging van de patiënt op je neemt en tevens de familie tot steun moet zijn. Denk je dat je dat aankunt?"
Carrie knikte vastberaden. „Ja. Ik zoek al maanden naar bezigheden waarin ik me nuttig kan maken en iets kan betekenen voor andere mensen, ik wist alleen niet wat. Dit artikel komt als een antwoord op al mijn vragen."
„Denk er niet te licht over," waarschuwde hij. „Als je dit doorzet, moet het belang van de patiënt en zijn gezin voorop staan, verwacht niet de hele tijd schouderklopjes."
„Daar gaat het niet om, Lex." Ernstig probeerde Carrie haar gevoelens onder woorden te brengen. „Ik hoef niet steeds uitgebreid bedankt te worden en ik streef er ook niet naar om als een soort engel langs de bedden te gaan, maar ik denk dat je met dit

soort werk de voldoening in jezelf vindt. Jij weet ook dat ik graag loop te redderen en te zorgen. Als ik dit ga doen, kan ik dat kwijt, dan stikt mijn gezin er niet meer in, zoals in het verleden."
„Toch een stuk eigenbelang dus."
„Natuurlijk," gaf ze onmiddellijk toe. „Maar dat hoeft geen belemmering te zijn, want het mes snijdt aan twee kanten. Ik voel me nuttig en anderen worden ermee geholpen."
„Maar realiseer jij je wel hoe zwaar dit moet zijn? Je krijgt constant met problemen als ziekte, pijn, dood en verdriet te maken. Je gaat tenslotte niet naar zo'n gezin toe om een gezellig kletspraatje te houden," zei Lex realistisch.
„Al die zaken die jij opnoemt horen bij het leven en vroeg of laat krijgt iedereen daarmee te maken. Maar als tegenwicht voor dat alles heb ik thuis een gelukkig, gezond gezin. Ik denk dat je dat des te meer gaat waarderen als je geconfronteerd wordt met andermans ellende. Ik weet zeker dat ik dit lichamelijk en geestelijk aankan," sprak Carrie beslist.
„Vraag dan in ieder geval de informatie aan bij die stichting," raadde Lex aan. „Die zullen ook niet over één nacht ijs gaan bij het aannemen van vrijwilligers en je terdege voorbereiden. Dan kun je altijd een definitieve beslissing nemen. Ik sta in ieder geval achter je en zal je overal mee helpen."
Onderzoekend keek Carrie hem aan. „Wat wil je daarmee zeggen? Dat je hier blijft en automatisch weer lid wordt van het gezin?"
Een beetje ongemakkelijk schoof Lex heen en weer op de bank. Plotseling werd het gesprek verlegd naar hun persoonlijke relatie. Een gesprek dat hij al die tijd vermeden had omdat alles nu zo lekker liep en hij bang was dat daar verandering in zou komen.
„Ach, waarom niet? Het gaat toch goed zo?" probeerde hij, maar Carrie schudde haar hoofd.
„Nee Lex, niet op deze manier. Ik ben het met je eens dat het nu goed gaat, maar ik wil wel duidelijke afspraken, niet automatisch samen verder leven alsof er in het verleden niets gebeurd is. Er moet een beslissing komen. Of we kiezen weer openlijk voor elkaar met alle verplichtingen en consequenties die daaraan vastzitten, of jij gaat weer naar je eigen huis en we bouwen onafhankelijk van elkaar allebei een nieuw leven op."

Lex luisterde verbaasd naar deze uiteenzetting. Was dit Carrie? Carrie, die altijd alles best vond en met iedere wind meezeilde? Carrie, die nooit zelfstandig beslissingen nam, maar zich altijd afhankelijk van hem had opgesteld? Hij kon zijn oren niet geloven! Maar hij moest toegeven dat ze hem zo een stuk beter beviel dan tijdens de laatste jaren van hun huwelijk. Hij had altijd verlangd naar een vrouw die naast hem stond, in plaats van achter hem.
„Als ik nu, op dit moment, een beslissing moet nemen, dan blijf ik," zei hij eenvoudig. „Maar ik moet je eerlijk bekennen dat ik best een beetje bang ben voor de toekomst. Toen we trouwden was ik er ook van overtuigd dat het voor altijd was en je weet wat voor een puinhoop we ervan gemaakt hebben. Voornamelijk door jouw toedoen, dat zul je toch toe moeten geven. Zoals je je nu gedraagt hou ik van je, maar wie garandeert me dat je zo blijft?"
„Die garantie heb je niet, maar die heeft niemand," antwoordde Carrie rustig. Zijn woorden deden haar pijn, maar ze moest eerlijk bekennen dat het de waarheid was. Ze was trouwens blij dat hij zijn gevoelens zo openlijk besprak, want dat had er in hun huwelijk ook aan gemankeerd; ze praatten te weinig. „Het enige wat ik je kan verzekeren is dat ik volwassen geworden ben. Ik ben praktisch vanaf de schoolbanken met je getrouwd en verruilde mijn veilige ouderlijk huis voor een veilig huwelijk. De laatste tijd heb ik geleerd wat zelfstandigheid is en eigenlijk bevalt dat me prima. Ik ben niet van plan om weer onderdanig aan jou te worden, maar dat wil niet zeggen dat van nu af aan alles gesmeerd loopt. Er zijn meer redenen waarop een huwelijk stuk kan lopen, we zullen ons er samen voor in moeten zetten dat het goed blijft gaan."
„Carrie, als je zo praat hou ik verschrikkelijk veel van je," zei Lex hartgrondig terwijl hij haar in zijn armen nam. „Eindelijk ben je uitgegroeid tot de vrouw die ik vroeger al in je zag, maar die nooit tevoorschijn kwam." Hij kuste haar en Carrie kroop tevreden in zijn armen.
„Dus we gaan samen verder?"
„Dat wil zeggen, als jij tenminste ook van mij houdt. Dat heb ik nog helemaal niet van je gehoord en dat lijkt me toch geen onbelangrijk detail," plaagde Lex.

„O pestkop," riep Carrie. Ze kietelde hem tot hij om genade smeekte. „Op het gevaar af dat je nu verwaand wordt: ik hou al van je vanaf de eerste dag dat ik je ontmoette en dat is nooit overgegaan, ondanks de scheiding. Ik heb het alleen een tijdje ontkend. Nu weet ik pas wat een fantastische man je bent en wat ik gemist heb in de tijd dat je weg was."
„Deze gevoelens zijn geheel wederzijds," sprak Lex plechtig.
Ze waren volkomen verdiept in elkaar en schrokken van het doordringende geluid van de telefoon.
„Met Carrie Alberts."
„Hoi, met Stella. Groot nieuws, Monica en David hebben zich verloofd," klonk het enthousiast in haar oor.
„O ja? Wat leuk voor ze," zei Carrie met een knipoog naar Lex. Het werkt zeker besmettelijk, dacht ze grinnikend.
„Vanavond is er een klein feestje bij mij thuis. Niets bijzonders hoor, alleen wij vieren en uiteraard David en Lex, als jullie tenminste kunnen."
„Moment, even overleggen." Carrie dekte de hoorn met haar hand af en vertelde Lex wat er aan de hand was. „Gaan we?"
„Natuurlijk. Wacht, geef mij de telefoon eens." Hij pakte de hoorn van haar over en sprak uitbundig: „Weet je wat, Stella, maak er maar meteen een dubbel feest van! Een dubbele verloving!"
Carrie keek hem verrast en ontroerd aan en zonder op Stella's antwoord te wachten verbrak hij het gesprek om zijn aandacht geheel aan zijn aanstaande vrouw te geven.

Die avond werden Carrie en Lex met gejuich binnengehaald.
„Eindelijk dan toch!" riep Stella en ze gaf hen allebei een paar dikke zoenen. „Gefeliciteerd, ik ben zo blij voor jullie."
In de algemene drukte van begroetingen, felicitaties en rondrennende kinderen, viel het niemand op dat Han zich wat op de achtergrond hield. Ze was oprecht blij voor de twee verloofde stellen, maar bespeurde toch een bitter gevoel bij zichzelf. Ze waren allevier zo duidelijk gelukkig, een gemoedstoestand die bij haarzelf al een tijd afwezig was. Sinds die avond met Wim, om precies te zijn. Tot die tijd was Han altijd gelukkig en tevreden geweest met haar leven zoals dat was, maar nu was dat veranderd. Ze voelde zelfs iets van jaloezie vanavond, hoewel ze ervan over-

tuigd was dat een vaste partner niets voor haar was.
Met succes probeerde ze alle negatieve gedachten van zich af te zetten. Kop op, meid, sprak ze zichzelf in gedachten toe. Deze avond is voor Monica, David, Carrie en Lex, verpest het niet voor ze. Morgen mag je weer over jezelf piekeren.
Hartelijk feliciteerde ze het viertal, maar toch bleef er iets steken. Een klein, venijnig angeltje.
Het werd een gezellige, feestelijke avond met champagne, lekkere hapjes en een grappige toespraak van Stella. Niemand die het gezelschap zo zag zitten, vermoedde dat er bij twee mensen eigenlijk geen sprake was van een vrolijke, gezellige stemming. Han lag hevig met zichzelf in de knoop en David voelde zich schuldig omdat hij Monica nog steeds niets verteld had.
En allebei deden ze of er niets aan de hand was, allebei deden ze uitbundig mee met de rest, zodat niemand merkte dat er iets broeide.

HOOFDSTUK 15

Het ging niet goed met Han. Ze leidde haar leven zoals ze dat altijd gewend was, verzorgde zichzelf en Mirjam zoals gewoonlijk en gedroeg zich tegenover iedereen of er niets aan de hand was, maar ondertussen knaagde het binnenin haar. En dat geknaag werd erger naarmate de tijd verstreek.
Uiterlijk was er niets aan haar te zien, maar innerlijk werd ze verteerd door schuldgevoelens, angst en wantrouwen tegenover iedere man die haar aansprak. Ze werd afstandelijker en verweet het Wim en zichzelf dat ze niet meer zo kon leven als ze altijd gedaan had, maar ze durfde niet meer zo vrijmoedig met iedereen om te gaan.
Op een dag barstte de bom. Ze zat op haar kantoor wat werk door te nemen en besloot om een uur of halfelf naar de kantine te gaan om een kop koffie te halen. Onderweg botste ze tegen Jaap Hermans op, een collega die net zijn kamer uitkwam voor hetzelfde doel.
„Zo, wat een aangename begroeting. Kom binnen," grinnikte hij. Terwijl hij dat zei, pakte hij haar vast om een val te voorkomen, maar Han rukte zich onmiddellijk los.
„Blijf van me af!" gilde ze. Ze werd ineens overvallen door een hevig paniekgevoel.
„Hé, kalm aan. Ik eet je niet op."
Jaap wilde met een vriendschappelijk gebaar zijn arm om haar heen slaan, maar Han, niet meer beseffend waar ze mee bezig was, sloeg wild van zich af. Haar vlakke hand kwam niet bepaald zacht in aanraking met zijn wang en pijnlijk verbaasd staarde hij haar aan.
„Wat is er in vredesnaam met jou aan de hand? Sinds wanneer reageer jij zo stom op een geintje?"
Hun schermutseling was niet onopgemerkt gebleven voor de andere personeelsleden. Deuren gingen open en verschillende mensen kwamen nieuwsgierig de gang op, belust op een relletje. Op dat moment realiseerde Han zich wat ze gedaan had en het schaamrood steeg naar haar kaken.
„Sorry, ik… eh, dat was niet de bedoeling," stamelde ze onbeholpen.

Het huilen stond haar nader dan het lachen en Jaap, die dat doorhad, trok haar resoluut zijn kantoor in.
„Ik geloof dat wij eens moeten praten," zei hij vriendelijk, maar beslist.
De nieuwsgierige toeschouwers dropen teleurgesteld af nu er niets meer te zien was. Han liet zich als een lappen pop in een stoel zakken en stak met trillende vingers een door hem aangeboden sigaret op.
„Sorry hoor," zei ze voor de tweede keer. „Ik schrok nogal, het heeft niets met jou persoonlijk te maken."
„Dat mag ik hopen," zei hij droog. Hij leunde op zijn gemak achterover en keek haar onderzoekend aan. „Wat is er aan de hand, Han? Je bent anders de laatste tijd. Nerveuzer, gejaagder. Ik weet niet precies hoe ik het moet omschrijven, maar ik zie het, ondanks je pogingen om normaal te doen."
„Ach, niks. Iedereen heeft wel eens een slechte periode, ik net zo goed als ieder ander. Daar hoef je heus niet meteen iets achter te zoeken. Ik zit momenteel gewoon niet zo lekker in mijn vel." Han had zich uiterlijk weer hersteld en hield haar antwoord expres vaag, maar daar trapte Jaap niet in.
„Kom op Han, ik ken je langer dan vandaag," reageerde hij ongeduldig. „Ik dacht dat wij behalve collega's toch ook wel vrienden waren. Ik zie toch dat er iets mis is met je? De Han die ik ken zou nooit zo reageren." Hij keek haar afwachtend aan, maar er kwam geen antwoord. Han keek stug en afwerend uit het raam. Toen haar zwijgen aanhield, vervolgde hij: „Oké, als jij je mond houdt, zal ik iets zeggen. Ik hoor het wel van je als ik ernaast zit. Gezien de manier waarop je net in paniek raakte en hoe je de laatste tijd reageert, denk ik dat je een slechte ervaring hebt gehad met een man. Heb ik gelijk of niet?"
Langzaam knikte Han. Eigenlijk wilde ze er helemaal niet over praten, ze wilde het liefst het hele incident vergeten, maar ze wist hoe Jaap in elkaar stak. Af en toe leek hij net een terriër en hij liet een zaak niet los voor hij alles uitgeplozen had. Na nog enig aandringen van zijn kant vertelde ze hem precies wat er gebeurd was en hoe ze zich daaronder voelde. Tegen haar wil liepen een paar tranen over haar wangen, maar ze had op dat moment niet eens de kracht om haar hand op te heffen en ze weg te vegen.

Haar weerstand was nu volledig gebroken en ze vertelde alles aan één stuk door. Hij onderbrak haar geen enkele keer, maar liet haar rustig uitpraten.
„Die schuldgevoelens zijn natuurlijk grote onzin," verklaarde hij kort en bondig toen ze eindelijk klaar was. „Die vent had gewoon met zijn handen van je af moeten blijven."
„Maar ik heb het uitgelokt. Niet zozeer bij hem, maar door mijn gedrag tegenover mannen in het algemeen. Ik ben uitdagend, dat weet ik. Ik heb er alleen nooit bij stilgestaan wat voor gevolgen mijn gedrag kon hebben."
„Han, je bent gek. Jouw gedrag is vrijmoedig, dat is heel iets anders. Ik weet natuurlijk niet hoe jij je opstelt bij een man waar je meer van wilt dan vriendschap alleen, maar ik weet wél dat jij geen type bent die eerst iemand uitdaagt en daarna afwijst. Wij zijn ook wel eens samen uitgeweest en dat was altijd puur vriendschappelijk en gezellig. Je hebt me nooit redenen gegeven om te denken dat ik je mijn bed in kon sleuren, om het zo maar eens te zeggen."
Han glimlachte door haar tranen heen en legde met een warm gebaar haar hand op de zijne. „Lief van je om dat te zeggen, maar je bent een van de weinigen die er zo over denkt. De mensen roddelen over me, dat heeft Wim me pijnlijk duidelijk gemaakt."
„Daar moet je lak aan hebben. Mensen kletsen toch, onverschillig wat je doet."
„Dat is ook altijd mijn standpunt geweest, maar de laatste tijd kan ik zo niet meer denken. Ik betrap mezelf er steeds op dat ik tegenwoordig bij iedere blik en iedere opmerking er iets achter zoek. En bij elk willekeurig contact, met wie dan ook, wil ik weten hoe die persoon me beoordeelt, of ik in zijn ogen goed of slecht ben."
„Geen van tweeën. Je bent een mengelmoes, zoals ieder normaal mens. Maar op dit moment ben je wel bezig om overspannen te worden. Weet je wat jij moet doen? Je ziek melden en lekker een paar dagen tot rust komen, alles eens laten betijen. Ik denk dat je het dan in een heel ander licht gaat zien."
„Zou je denken?" vroeg Han aarzelend.
Zijn voorstel trok haar wel aan. Ze verlangde ernaar om zonder meer haar bed in te kruipen en de dekens over haar hoofd te

trekken, net doen of er geen buitenwereld bestond.
„Ik weet het zeker. Ga jij nou maar meteen naar huis, ik maak het hier wel in orde voor je," zei hij hartelijk.
Han liet zich heel makkelijk overhalen. „Graag zelfs. Bedankt."
„Graag gedaan. Probeer het een beetje afstandelijk te bekijken en laad jezelf niet op met zinloze schuldgevoelens. Hij was fout, dat moet je voor ogen houden."
Met de deurknop al in haar handen draaide Han zich nog een keer om. „Voor deze woorden zou ik je wel kunnen zoenen. Je bent een schat," zei ze spontaan.
Zodra ze de deur achter zich gesloten had begon Jaap te lachen. Han zou nooit écht veranderen, bedacht hij. Dit was alleen een tijdelijke inzinking, een logisch gevolg van wat ze had meegemaakt. Maar haar hele wezen straalde een vrijmoedige spontaniteit uit en dat was nooit helemaal in te dammen. Gelukkig niet.
Han reed snel naar huis, maar eenmaal binnen verging de lust haar om in bed te kruipen. Ze kon toch nooit slapen midden op de dag. Waarschijnlijk zouden haar gedachten dan helemaal door haar hoofd gaan malen en haar gek maken. Nee, ze kon beter iets gaan doen, afleiding zoeken. Maar wat? Doelloos drentelde Han door de kamers heen. Dit was een ongekende situatie voor haar. In de jaren dat ze werkte was ze een paar keer ziek geweest, maar dan voelde ze zich zo beroerd dat ze zich niet verveelde maar de hele dag sliep. In de weekenden was Mirjam er om haar bezig te houden en bovendien had ze haar studie en haar huishouden. Vrije dagen nam ze alleen op als er een reden voor was, als ze iets te doen had. Ze leidde een druk leven en kwam eigenlijk constant tijd te kort, maar nu ze zo onverwachts overdag thuis was, zonder Mirjam, wist Han met haar tijd geen raad. In huishoudelijke klusjes had ze geen zin en haar studie interesseerde haar momenteel niet genoeg om zich volledig in te kunnen verdiepen.
Uiteindelijk reed ze naar een boekhandel en kocht een stapel dikke romans, waar ze de rest van de dag mee doorbracht. Wonderlijk genoeg leidde dat haar gedachten af. Han had altijd van lezen gehouden, maar ze had er te weinig tijd voor. Nu had ze even geen verplichtingen aan haar hoofd en kon ze zich geheel in de beschreven levens van anderen verdiepen.

Op de normale tijd haalde ze Mirjam op en sprak met Karin af dat ze haar een paar dagen thuis zou houden. In de dagen die volgden, hing Han gewoon een beetje rond, zoals ze het zelf noemde. 's Morgens bleef ze lang op bed liggen, met Mirjam samen, daarna deed ze op haar gemak de gebruikelijke ochtendbezigheden zoals ontbijten, wassen, aankleden, bedden opmaken en opruimen. Om een uur of elf, halftwaalf was ze daar mee klaar en de rest van de dag speelde ze met Mirjam en deed ze wat kleine klusjes. In de avonduren keek ze tv of zat ze te lezen. Eigenlijk beviel dit gezapige leventje haar heel goed voor een poosje. Langzamerhand begon ze zich wat beter en energieker te voelen, maar ze wist dat ze nog lang niet de oude was.
Toen Han drie dagen thuis was, kwam er een controleur van de ziektewet. Hij informeerde naar haar klachten en schreef alles precies op zoals zij het vertelde.
„Dus lichamelijk mankeert u niets?" vroeg hij ten overvloede.
„Nou, ik ben constant heel moe, maar waarschijnlijk is dat een gevolg van de spanning," antwoordde Han. „Lichamelijk ben ik kerngezond, altijd geweest ook."
Hij knikte, schreef iets op een apart vel papier en overhandigde haar een kaart. „Ik denk dat u aanstaande maandag uw werk wel weer kunt hervatten. Mocht dat niet lukken, komt u dan tussen negen en tien naar het spreekuur, met deze kaart."
Han wist dat ze die termijn niet zou redden, dat het te kort was om helemaal te herstellen, maar ze protesteerde niet. Ze had er gewoon geen fut voor. En waarschijnlijk kon ze dat ook beter met de arts bespreken dan met een controleur, bedacht ze.
Zoals haar gewoonte was, besteedde ze die maandag veel aandacht aan haar kleding en haar make-up en ze zag er dan ook perfect uit toen ze haar huis verliet om naar het spreekuur van de controlerend arts te gaan. Dat was ook het eerste wat de al wat oudere, streng uitziende man opviel. Niet iemand die er overspannen of zenuwachtig uitziet, registreerde hij meteen.
Hij stelde de gebruikelijke vragen, liet haar het hele verhaal nog eens vertellen en zei uiteindelijk kortaf: „Het valt geloof ik allemaal wel mee met u. Ik verwacht dat u morgen weer begint met werken."
„Het spijt me, maar daar ben ik nog niet toe in staat," zei Han

meteen. Ze voelde zich nerveus worden onder zijn taxerende blikken, maar wist dat meesterlijk te verbergen. Ondertussen had ze wel het gevoel dat ze op ontploffen stond. Ze merkte dat de man tegenover haar haar niet serieus nam, misschien geloofde hij zelfs geen woord van wat ze gezegd had. Eén verkeerde opmerking en ze zou in woede uitbarsten, dat voelde ze, dus probeerde ze zo kalm en redelijk mogelijk te praten. „Ik ben moe en lusteloos, heb regelmatig last van nachtmerries en kan me nergens op concentreren."
„Er zijn meer mensen die daar last van hebben. Lichamelijk mankeert u niets en als iedereen maar thuisbleef met dezelfde klachten als u, zou het een puinhoop worden. Ik zal u eerlijk zeggen hoe ik er tegenover sta. Volgens mij gebruikt u uw ervaring als excuus om een tijdje vrijaf te nemen."
„U durft heel wat te beweren," antwoordde Han met trillende stem. „Mag ik ook weten waar u die conclusies op baseert?"
„Natuurlijk." Over zijn bril heen keek de arts haar recht aan. „Kijk, ik krijg vaker vrouwen op mijn spreekuur die iets dergelijks meegemaakt hebben en ik heb in de loop der tijd aardig wat mensenkennis opgedaan. U ziet er niet bepaald uit als iemand die niet slaapt of iets niet kan verwerken, bovendien is er niets onherstelbaars gebeurd. U bent niet verkracht."
„Nee, maar het scheelde maar heel weinig. U als man kunt niet beoordelen wat zo'n ervaring voor een vrouw betekent, dus u baseert uw oordeel alleen maar op mijn uiterlijk. Omdat ik mezelf goed verzorg en niet als een spook rondloop, mankeer ik dus niets, volgens u. Maar ik ben niet van plan om er als een slons uit te gaan zien voor een mán. Ik vraag me af waar u het lef vandaan haalt om te beweren dat u mensenkennis heeft."
De arts haalde met een tergend irritant gebaar zijn schouders op en schoof haar dossier opzij. „U verdraait mijn woorden. Verder heb ik u niets te zeggen."
„Maar ik u wel." Han stond op en boog zich over het bureau naar hem toe. Onwillekeurig schoof hij iets achteruit, wat haar een gevoel van voldoening gaf. „Ik maak zelf uit wanneer ik weer aan het werk ga, want u kunt niet beoordelen hoe ik me voel. Bovendien zal ik een officiële klacht over u indienen. Wat mij overkomen is, was niet mijn schuld. Het is me aangedaan door

een ander en ik heb het recht om dat op mijn eigen manier te verwerken. Ik hoef me niet te laten beledigen en beschuldigen door de eerste de beste man die toevallig het woordje dokter voor zijn naam heeft staan."

Zonder te groeten verliet ze het kantoor. Ze was echt woedend. Wat dacht die windbuil wel! Die zat vanuit zijn luie stoel even andermans leven te regelen! De kwal!

Toch was er ook een gevoel van opluchting, van bevrijding. Door haar woorden tegenover die arts besefte Han dat het inderdaad iets was wat iedereen had kunnen overkomen. Het was haar aangedaan door een ander, dat had ze gezegd en zo voelde ze het nu ook. Het was haar schuld niet! Natuurlijk voelde ze zich niet ineens honderd procent opgeknapt, maar deze uitbarsting had haar toch goed gedaan. Het was die dokter niet gelukt om haar de grond in te boren. Integendeel, ze kreeg er juist haar zelfvertrouwen weer door terug, iets wat haar reactie wel bewezen had. Tenslotte hoefde ze van niemand een dergelijke beschuldiging te nemen.

Nog diezelfde dag besprak ze het incident met haar directe chef en die beloofde haar om er meteen werk van te maken.

„Ik ken je en weet dat je niet thuisblijft zonder reden, dat heb je nooit gedaan. Hoe voel je je nu?"

„In ieder geval beter dan vanochtend. Ik denk dat ik snel weer kom, dat rustige thuis zitten is niets voor mij."

„Neem rustig je tijd, dat heb je gewoon nodig," raadde haar chef haar aan. „Ik maak het wel in orde met de ziektewet en dien in ieder geval namens jou een klacht in. Maar ik weet niet of het iets uitricht, het is jouw woord tegen het zijne."

„Dat zie ik dan wel weer," vond Han luchtig. „Hij weet dan in ieder geval dat ik niet over me heen laat lopen. Het ergste wat mij kan gebeuren is dat ik mijn ziekengeld niet uitbetaald krijg omdat ze denken dat ik simuleer en daar kom ik ook wel weer overheen."

Ze nam afscheid van haar chef met de belofte zo snel mogelijk weer te beginnen en ze wist dat dat niet meer zo lang zou duren. Dankzij die dokter was ze toch aardig opgeknapt, bedacht ze grinnikend.

Carrie had de informatie over het vrijwilligerswerk als stervensbegeleider aangevraagd en alles wat ze er tot nu toe over gelezen en gehoord had, sterkte haar in de mening dat dit iets voor haar was. Na een paar dagen kreeg ze een oriënterend gesprek, waarbij vooral haar motivatie en haar ideeën omtrent het werk ter sprake kwamen.
„Ik geloof wel dat ik een goede indruk gemaakt heb," zei Carrie tegen Han. Ze zaten samen in een lunchroom in het centrum, vast van plan om allebei hun wintergarderobe vandaag stevig aan te vullen.
„Dus je bent aangenomen?" begreep Han, maar Carrie schudde haar hoofd.
„Zo werkt dat niet, het was geen sollicitatiegesprek. Binnenkort krijg ik samen met nog een stel mensen die zich aangemeld hebben een cursus, waarin alle praktische en emotionele zaken aan bod komen. In die tijd zien ze wel of je er geschikt voor bent of niet en zo wel, dan krijg je vanzelf aanvragen voor hulp."
„En dan moet je dus de hele dag in zo'n gezin aanwezig zijn en allerlei klusjes opknappen?"
„Jeetje, wat heb jij een rare voorstelling van dit werk." Carrie schoot in de lach en bestelde nog twee koffie. „De minimale tijd dat je je beschikbaar stelt is acht uur per week en de tijden dat je naar een gezin gaat variëren. Zowel overdag als 's nachts is er hulp nodig en een team van vrijwilligers wisselt elkaar af." Carrie vertelde Han uitgebreid wat ze allemaal over het werk wist en die luisterde aandachtig.
Dit was inderdaad wel iets voor Carrie, bedacht ze. Die had altijd al graag gezorgd en voor zover ze haar kende, dacht ze wel dat ze in staat was haar werk en privé-leven te scheiden, zodat ze niet alle ellende van haar patiënten mee naar huis zou nemen. Als ze niet zo jong getrouwd was, had ze een prima loopbaan als verpleegster of maatschappelijk werkster op kunnen bouwen, maar tot nu toe was al haar zorg en aandacht altijd voor haar gezin geweest. Zo erg zelfs dat het haar uiteindelijk haar huwelijk gekost had.
„Ik ben echt blij voor je, dat je zoiets gevonden hebt," zei Han hartelijk. „Ik heb wel eens bij mezelf gedacht dat je in een heel diep zwart gat zou vallen als straks je kinderen de deur uitgaan."

„Wat?" Verbluft keek Carrie naar haar vriendin, haar koffiekopje bleef steken op weg naar haar mond. „Mens, dat duurt zeker nog een jaar of achttien, twintig."
„Ach, regeren is vooruitzien," vond Han laconiek. „Zullen we trouwens eens opstappen? We zitten hier al ruim een uur en hebben nog niks gekocht. Lex wordt gek van al die kinderen als we niet snel thuis komen."
„Welnee, dat is zo'n schat." Carrie glimlachte en er verscheen een tedere, verliefde blik in haar ogen. „Hij is veel te blij dat hij weer gewoon als vader met zijn kinderen om kan gaan, in plaats van als een soort suikeroom."
Ze haakte gezellig haar arm door die van Han en even later slenterden ze op hun gemak langs de aanlokkelijke etalages. Het was druk in de stad, een voorteken van de naderende decembermaand, maar daar trokken Carrie en Han zich niets van aan. Ze liepen winkel in en uit, pasten veel verschillende kleding en hun tassen werden steeds voller.
Plotseling bleef Han als door de bliksem getroffen midden in een drukke straat staan. Die man daar.... Nee, ze kon zich niet vergissen. Dat was Wim!
„Wat is er? Kom mee joh," zei Carrie ongeduldig. Ze wilde Han aan haar arm meetrekken, maar die bleef verstard staan.
„Wim," fluisterde ze.
Alsof hij het gehoord had, draaide hij zich om en keek haar recht aan. Aan niets was te merken dat hij schrok, er verscheen zelfs een brede grijns op zijn gezicht. Op dat moment voelde Han zich groeien. Ze richtte zich op en wierp hem een blik toe zo vol met ijskoude minachting, dat hij zijn hoofd beschaamd omdraaide en snel in de menigte verdween.
„Zo, die is geschrokken," grinnikte Han een beetje bibberig, maar uiterst voldaan over haar eigen optreden.
„Dat kan ik me voorstellen. Zelfs ik schrok ervan en bij mijn weten heb ik je nog nooit iets aangedaan," mompelde Carrie. Met iets van ontzag keek ze Han aan. „Hoe voelde dat nou?"
„Heel plezierig. In eerste instantie schrok ik toen ik hem ineens zag, maar door die enge grijns van hem werd ik woest."
Ze liepen verder alsof er niets gebeurd was, maar Han bleef de hele dag een triomfantelijk gevoel houden. Ze had al die tijd

tegen een ontmoeting met Wim opgezien, maar wist dat het eens moest gebeuren. Zoiets was onvermijdelijk. Nu die confrontatie eenmaal plaats gevonden had, was zij als overwinnaar uit de strijd gekomen en dat voelde goed, heel goed.
Gek eigenlijk, peinsde ze. Van het begin af aan was iedereen heel lief voor haar geweest en iedereen had pal achter haar gestaan, maar dat had niets geholpen. Er waren twee negatieve ervaringen voor nodig om haar er weer bovenop te helpen. Eerst dat gesprek met die dokter en nu die ontmoeting met Wim.
Maar ach, wat maakte het eigenlijk uit waardoor het kwam. Het belangrijkste was dat ze er overheen was, dat ze die verschrikkelijke ervaring verwerkt had.

HOOFDSTUK 16

Het gips was van Monica's been af en ze woonde alweer een paar weken in haar eigen huis. Hoewel ze nog steeds een kruk nodig had met lopen, kon ze zich alweer aardig redden. Haar been genas snel, sneller dan iedereen verwacht had. Volgens de fysiotherapeut kwam dat grotendeels door de taaie volharding waarmee Monica haar oefeningen deed. Daar was ze onvermoeibaar in, echter zonder de spieren in haar been over te belasten. Ze had dan ook een goede stimulans om de zware oefeningen vol te houden. Waarschijnlijk zouden David en zij niet meer zo lang wachten met trouwen en ze wilde er alles aan doen om niet als een manke bruid naast hem te staan.
David... Ze glimlachte stil voor zich heen. Ze ging steeds meer van hem houden en kon zich een leven zonder hem niet meer voorstellen. Dit gevoel was heel anders dan indertijd met Koos, hoewel ze van hem ook gehouden had. Maar als ze die twee mannen met elkaar vergeleek, kwam Koos er wel heel bekaaid vanaf. Niet te geloven dat ze eens gedacht had een heel leven bij hem te blijven. Bij David lag dat anders, van hem was ze honderd procent zeker. Natuurlijk zouden ze in de toekomst ook wel de nodige tegenslagen en problemen krijgen, maar hij was er de man niet naar om haar in haar eentje te laten tobben. David zou altijd naast haar staan, daar twijfelde Monica geen ogenblik aan.
Vanavond zou hij komen. Door de telefoon had hij gezegd dat hij iets met haar wilde bespreken en Monica dacht dat dat hun aanstaande huwelijk betrof. Ze wist dat hij bezig was met sollicitaties aan de andere kant van het land en zodra hij daar een baan had zouden ze trouwen. Dat was nooit in ronde woorden gezegd, maar toch vanzelfsprekend.
Zacht in zichzelf neuriënd zette ze koffie en ruimde wat speelgoed van de vloer. Chantal lag al in bed, dus ze hadden een heerlijke, lange avond met zijn tweeën. Precies om acht uur belde hij aan en zoals gewoonlijk vloog Monica hem om zijn nek.
„Hai, fijn dat je er bent. Kom binnen."
Ze merkte niet dat hij haar begroeting amper beantwoordde. Pas later, toen ze met de koffie binnenkwam en hem wat ineengezakt op een hoek van de bank zag zitten, drong het tot haar door dat

hij zich anders gedroeg dan gewoonlijk, dat er iets aan de hand moest zijn.
„Wat is er David?" vroeg ze terwijl ze naast hem plaats nam op de bank. „Ben je soms afgewezen voor die baan?"
„Nee, ik ben aangenomen. Maar..."
„Fantastisch!" Zonder af te wachten wat hij verder wilde zeggen, zoende ze hem op allebei zijn wangen. „Gefeliciteerd. Dit wilde je toch graag? Waarom kijk je dan zo somber?" Ze kroop tegen hem aan, stak haar arm door de zijne en vervolgde plagend: „Je bent toch zeker niet bang dat ik niet met je mee wil? Je komt echt niet meer van me af, hoor."
„Dat hoop ik," verzuchtte hij uit de grond van zijn hart. „Monica, ik ben bang dat je niets meer met me te maken wilt hebben na vanavond."
Bang en onzeker keek ze hem aan. „Maar wat...? David, ik begrijp het niet. Vertel me dan wat er is."
„Dat probeer ik al maanden."
Hij schudde haar arm van zich af, stond op en begon rusteloos heen en weer te lopen door de kleine kamer. Steeds opnieuw, van de bank naar het raam en terug, tot Monica er stapelgek van werd. Plotseling bleef hij voor haar staan en keek op haar neer. Zijn hart kromp ineen bij het zien van haar angstige gezicht, maar er was geen weg meer terug. Hij moest het vertellen. Hij kon niet met haar trouwen en haar meenemen naar de andere kant van het land zolang dat afschuwelijke geheim nog tussen hen in stond. Hij had al veel te lang gewacht, het veel te ver laten komen. Monica wist nog zo veel niet van hem.
„Al een hele tijd probeer ik de woorden te vinden om je dit te vertellen, maar het is me nooit gelukt. Nu kan ik het niet langer voor me houden, dus ik zeg het maar gewoon zoals het ligt. Monica, ik ben de man die jou aangereden heeft. Ik zat die avond dronken achter het stuur. Ik ben de oorzaak van jouw ellende."
Eindelijk was het eruit. Hij had zijn angst overwonnen en haar de waarheid verteld. Nu moest hij afwachten wat haar reactie zou zijn.
Die liet lang op zich wachten. De klap was hard aangekomen bij Monica. Met een wit vertrokken gezicht bleef ze roerloos zitten. David? Nee, dat kon niet. Ze vertrouwde hem, hij betekende alles

voor haar. Dit kon niet waar zijn, hij had dit niet gedaan! Maar door het ongeloof heen, kwam langzaam het besef dat het wel waar moest zijn. Hij zou zoiets niet zomaar vertellen. Dus David was die dronken chauffeur geweest! Het leek of ze uren zo in dezelfde houding bleven, allebei bang om zich te bewegen. Monica zittend op de bank, met de armen om haar opgetrokken knieën geslagen en David voor haar staand, zijn hoofd gebogen.
„D. Moerkerk," zei Monica eindelijk langzaam met een emotieloze stem. „D. Moerkerk, de naam die op het briefje stond wat ik in het ziekenhuis kreeg. Gek, die naam heb ik nooit in verband gebracht met de jouwe. In het begin verstond ik jouw naam niet en later heb ik er niet bij stilgestaan. Ik wilde er niet bij stilstaan, denk ik nu. Ik hield al te veel van je om zoiets te durven denken."
„En nu? Zijn die gevoelens nu in één klap weg?" vroeg David zacht.
„Dat weet ik niet. Ik weet niet wat ik moet voelen of moet denken. Ik begrijp het niet, David. Ik heb jou leren kennen als een verantwoordelijk persoon, iemand met karakter. Hoe heb je ooit zoiets kunnen doen?" Monica zat nog steeds onbeweeglijk en ze vermeed zijn ogen, die haar met doffe wanhoop aankeken.
„Ik wist niet wat ik deed. Ik had die dag een verschrikkelijk bericht gekregen en was totaal de kluts kwijt. Alles gebeurde buiten mezelf om."
Nu werd Monica kwaad. Ze registreerde zijn woorden onder de noemer 'laffe smoes' en dat doorbrak haar starre houding. Ze stond eveneens op en ging pal voor hem staan.
„Makkelijk gezegd hè? Ik geloof dat dit de geijkte smoes is in dit soort situaties. De schuldige kan er nooit iets aan doen, die handelt altijd in een roes. En het ergste is dat dat door politie en justitie ook nog geloofd wordt. De dader wordt met zijden handschoentjes aangepakt en het slachtoffer kan barsten!"
„Monica, alsjeblieft. Luister naar me."
„Nee, luister jij maar eens naar mij."
Nu was het haar beurt om door de kamer te ijsberen en terwijl ze dat deed, verwoordde ze al haar gevoelens van angst en onmacht die haar leven sinds het ongeluk beheersten. Al haar ellende spuwde ze eruit. De pijn, de zware oefeningen, die angst dat ze nooit meer helemaal zou herstellen en de angst om op straat te

lopen met de gedachte dat zo'n ongeluk weer kon gebeuren. David luisterde zwijgend. Hij wist dat ze gevoelsmatig in de knoop zat door de gevolgen van het ongeluk, maar dat het zo erg was, had hij nooit kunnen denken.
„Waarom heb je dat nooit eerder verteld?" vroeg hij zacht.
„Omdat ik het zelf wilde verwerken. Ik wilde jou er niet mee lastig vallen omdat jij er niets aan kon doen. Dat dacht ik tenminste." Ze liet een bitter lachje horen. „De grootste misrekening van mijn leven."
Ze stonden nu een paar meter van elkaar af, maar de geestelijke afstand tussen hen was veel groter. Na het ongeloof, het besef en de woede, kwam nu de bitterheid bij Monica boven.
„Iedereen kan fouten maken. Ik wil mezelf niet schoon praten, maar ik heb er wel recht op om de kans te krijgen mijn fouten te herstellen," vond David na een lange, gespannen stilte. Het was geen erg tactische opmerking op dat moment, dat besefte hij, maar hij moest iets zeggen om de stilte te doorbreken en dit was het eerste wat hem te binnen schoot. Bovendien meende hij het ook. Hij had er alles voor over om die gebeurtenis ongedaan te maken.
„Daar ben je dan te laat mee. Weet je David, de eerste dagen dacht ik nog heel mild over die dronken chauffeur, vooral toen ik hoorde dat hij zichzelf aangegeven had, maar met het verstrijken van de tijd veranderde dat. Als je langs was gekomen en me recht aan had durven kijken bij het maken van je excuses, dan had ik je vergeven. Maar het enige wat er af kon was een briefje en wat cadeaus, niet eens door jou zelf gebracht, maar door een oudere vrouw afgegeven aan een verpleegster."
„Mijn moeder," verklaarde hij.
„Het kan me niet schelen wie het was!" raasde Monica. Tijdens het spreken wond ze zichzelf steeds meer op. „Jij had daar moeten zijn en niemand anders. Waar was jij die dagen, hè? Waar wás je?"
„De begrafenis regelen voor mijn zoontje, die op de dag van het ongeluk verdronken was."
Een bliksemslag had niet harder in kunnen slaan dan deze simpele woorden. Er ging een wereld van verdriet en ellende achter schuil. Alle woede verdween direct bij Monica, daarvoor in de

plaats kwam een intens medeleven. Ze had niet geweten dat David een zoontje had, maar ze begreep meteen waarom hij dat in de gegeven omstandigheden verzwegen had.
„O David, wat erg voor je. Daar had ik geen idee van." Ze liep naar hem toe en sloeg haar armen om hem heen. „Waarom heb je dat nooit verteld? Waarom heb je zo'n groot verdriet alleen gedragen?"
„Ik durfde niet omdat het zo nauw samenhing met het ongeluk," bekende hij. Met een vermoeid gebaar streek hij over zijn voorhoofd. „Zullen we gaan zitten en er rustig over praten?"
Ze namen voor de tweede keer die avond plaats op de bank en David stak met trillende handen een sigaret op. Hij vergat haar er één te presenteren, maar dat nam Monica hem niet kwalijk. Door de rook heen staarden zijn ogen in een verleden wat niet eens zo ver weg lag, maar waar zij geen plaats in had.
„Roel heette hij en hij was de zon in mijn leven. Petra en ik waren al uit elkaar voor hij geboren werd, maar ze heeft me nooit tegengewerkt in het opbouwen van een vader-zoonrelatie. We zagen elkaar heel vaak, vooral omdat Petra op onregelmatige tijden werkte en ik dan op hem paste. Het was zo'n heerlijk, opgewekt joch, iedereen was stapelgek op hem. Echt Monica, zo'n kind verandert je hele leven, niets is meer echt belangrijk daarmee vergeleken."
Monica knikte alleen maar. Zij had Chantal, dus ze kon er over meepraten, maar ze zei niets. Hij had het nu nodig om zijn verhaal te kunnen vertellen, zonder onnodige opmerkingen van haar kant.
„Op die bewuste dag ging hij met Petra's moeder naar het park. Ze ontmoette daar een oude vriendin waar ze mee aan de praat raakte. Op het moment dat ze Roel miste was het al te laat. Hij was verdronken in de vijver, zijn leven was al opgehouden voor het goed en wel begonnen was. Petra belde me op, helemaal over haar toeren natuurlijk en ik ben er meteen naar toe gegaan. Het waren vreselijke uren. Petra gilde dat ze haar moeder nooit meer wilde zien en ik heb met alle macht geprobeerd om dat uit haar hoofd te praten, wat me overigens niet gelukt is. Ze haat haar eigen moeder sinds die dag. Na urenlang praten, troosten en nog eens praten kon ik er niet meer tegenop. Ik heb een vriendin van

haar gebeld die bij haar is gebleven en ik ben weggegaan. Ik had een paar stevige borrels op, maar buiten dat was ik ook niet in staat om te rijden. Ik weet niet waarom ik toch in die auto gestapt ben. Gewoonte, denk ik. De rest weet je."
„Ja, toen begon de ellende voor mij," zei Monica zacht. „Maar vergeleken bij wat jij door moest maken, stelt dat niets voor. O David, had het maar meteen gezegd."
„Ik durfde niet," herhaalde hij. „Toen ik erachter kwam dat jij mijn slachtoffer was, was ik al verliefd op je en ik was bang je kwijt te raken. Later werd het steeds moeilijker. Op die avond dat we ons verloofden stond ik op het punt om het te vertellen, maar toen kwam er zo'n woedeuitbarsting van jouw kant op die chauffeur dat de moed me in mijn schoenen zonk. Je haatte die man, zei je."
„Maar ik wist de achtergrond niet. Ik heb zelf een kind en ik moet er niet aan denken om haar te verliezen. Ik weet niet wat ik in zo'n situatie zou doen."
Een hele tijd bleven ze zo zwijgend zitten, hun armen om elkaar heen geslagen. Er was een woordloos begrip tussen hen, allebei konden ze zich verplaatsen in de gevoelens en gedachten van de ander. Monica dacht terug aan de eerste dagen van haar ziekenhuisperiode. Haar gedachten werden in die tijd volledig beheerst door het idee dat ze Chantal kwijt kon raken aan Koos. De angst en onzekerheid die ze toen voelde, zou ze niet licht meer vergeten. Waarschijnlijk kon ze daarom nu zoveel begrip opbrengen voor David. Wat hij moest doorstaan was immers oneindig veel erger.
Zijn bekentenis was hard aangekomen, maar de gebeurtenissen die eraan ten grondslag lagen waren belangrijker. Een uur geleden dacht ze dat ze David verkeerd ingeschat had, dat ze hem niet meer kon vertrouwen, nu waren die gevoelens weg. Hij was wel de man die ze altijd in hem gezien had, een man waar ze op kon bouwen en waar ze haar leven mee durfde te delen.
„Vergeten kun je deze periode nooit," zei ze als vervolg op haar gedachten. „Maar ik zal alles doen om je de doorstane ellende te vergoeden in de toekomst. We zullen gelukkig worden samen en uiteindelijk merk je dan dat het verleden zal vervagen. De tijd heel alle wonden, dat spreekwoord bestaat niet voor niets."

„Bedoel je dat je toch met me wilt trouwen?” vroeg hij hees. „Na alles wat ik je aangedaan heb?”
Hij kon zijn oren niet geloven. Hier had hij wel op gehoopt, maar het was geen moment in hem opgekomen dat het ook waarheid kon worden. Hij was er zeker van geweest dat hij na deze avond alleen verder zou moeten, dat Monica niets meer van hem zou willen weten.
„We hebben alle twee een moeilijke tijd achter de rug, maar het belangrijkste is onze liefde,” zei Monica eenvoudig. „Ik zie niet in waarom we onze relatie moeten verbreken, dan zou die moeilijke tijd alleen maar voortgezet worden. Zoals ik net al zei, vergeten kunnen we het niet, maar we moeten leren ermee om te gaan, het een plaats te geven in ons leven. Ik hou van je, David.”
„En ik van jou, meer dan ik ooit in woorden uit zal kunnen drukken.” Hij nam haar stevig in zijn armen en kuste haar.
De schaduwen van de laatste tijd en het gesprek eerder op de avond, verdwenen naar de achtergrond. Alleen het heden en de toekomst telden nog maar, een toekomst voor hen drieën. Tot diep in de nacht bleven ze doorpraten, maar over het verleden werd niet meer gerept. Dat was afgedaan en weggeborgen en moest zo weinig mogelijk tevoorschijn gehaald worden. David vertelde over de baan die hij in Groningen gekregen had.
„Daar heb ik de kans om helemaal opnieuw te beginnen. Weliswaar zonder Roel, maar met jou en Chantal. Over twee maanden kunnen we verhuizen en voor die tijd wil ik graag trouwen. We gaan daar dan echt als een gezin heen en niemand hoeft te weten hoe het zit.”
„Heb je daar al een huis dan?” vroeg Monica nieuwsgierig.
„Ja, daar heeft het bedrijf voor gezorgd. Het is niet groot, vier kamers, een douche en een mini keuken, maar in de toekomst kunnen we altijd een huis kopen naar onze wensen.”
„Welja, dat heeft de tijd nog. Je kunt toch niet alles in één keer realiseren, er moet iets te wensen overblijven. Ik mag dan wel snel mijn baan opzeggen. Ik weet niet hoe dat allemaal geregeld wordt met de ziektewet, maar dat hoor ik vanzelf wel.”
„Vind je het niet erg om te stoppen met werken?”
„Nee, mijn baan is pure noodzaak omdat ik mijn hand niet op wilde houden bij mijn ex-man. Ik heb er altijd wel plezier in

gehad hoor, maar het was bijzaak, geen levensvervulling. Nu ga ik allemaal dingen doen die ik zelf wil."
„Zoals een eigen winkeltje," begreep hij.
„Bijvoorbeeld ja. Maar voorlopig nog niet. Eerst wil ik een tijdje thuis blijven en Chantal wat extra aandacht geven. Die is er onbedoeld toch wel eens bij ingeschoten, dat heb je nu eenmaal als je er alleen voor staat."
„Dat is nu voorbij. Van nu af aan doen we alles samen."
Weer nam hij haar in zijn armen en de tijd leek stil te staan. De toekomst lag als een zonnig pad voor hen, de schaduwen van het verleden weken langzaam uiteen.

HOOFDSTUK 17

De dagen vlogen voorbij en regen zich aaneen tot weken en maanden. Sinterklaas en Kerstmis waren alweer voorbij en die hadden ze met zijn allen uitbundig gevierd. Monica en David hadden het druk met de voorbereidingen van hun huwelijk en de verhuizing naar Groningen. Monica liep alweer aardig goed, al kon ze nog geen grote afstanden afleggen en mocht ze nog niet sporten of fietsen.
Op oudejaarsdag trouwden Carrie en Lex voor de tweede keer.
„En dit keer voorgoed," zei Lex na de huwelijksvoltrekking.
„Ach, weer scheiden is niet erg, als er ook maar weer een huwelijksfeestje achteraan komt," lachte Han.
„Nee dank je, een feest kun je krijgen als je wilt, maar die scheiding laten we achterwege."
Het was een eenvoudige, maar gezellige bruiloft met alleen 's middags een receptie. Een feestavond of diner vonden Lex en Carrie allebei onzin, omdat ze dat de eerste keer al gedaan hadden. Wel hadden ze een leuke avond bij Stella thuis met zijn allen vanwege het vandaag gesloten huwelijk en omdat het oudejaarsavond was. Met elkaar hadden ze betaald voor de drankjes en hapjes en Stella had alles op een lange tafel uitgestald.
„O, wat een heerlijkheden. Ik kom kilo's aan deze maand," kreunde Monica.
„Dat is ieder jaar zo, dat gaat er in januari en februari wel weer af," troostte Han. Zij maakte zich nooit druk om haar lijn. Haar drukke, actieve leven zorgde ervoor dat haar gewicht op peil bleef.
„Daar heb ik niets aan. Over twee weken trouwen we en ik wil wel graag in mijn jurk passen."
„Ga je in het wit?" informeerde Stella terwijl ze voor iedereen iets te drinken inschonk.
„Nee, in het lichtgroen. Ik heb een jurk gevonden die precies dezelfde kleur heeft als mijn ogen en volgens David staat hij me fantastisch."
„Heeft die hem gezien dan? Dat hoort helemaal niet," vond Carrie, maar de rest lachte haar hartelijk uit.
„Kom op Car, niet zo ouderwets hoor. Je bent nu een werkende

echtgenote en moeder, dus wordt het tijd dat je jezelf eens wat modernere ideeën aanpraat," riep Han lachend.
Grinnikend bedacht ze dat Carrie die burgerlijkheid nooit zou verliezen. Maar ach, wat gaf het? Carrie was nu eenmaal Carrie en zo was ze goed.
Wat dat betrof waren ze alle vier heel anders van karakter, maar toch hadden ze in betrekkelijk korte tijd een hechte vriendschap opgebouwd. Een vriendschap die verder ging dan af en toe samen koffie drinken en de laatste roddelpraatjes uitwisselen. Stuk voor stuk hadden ze het afgelopen jaar voor elkaar klaar gestaan en geholpen waar dat nodig was, ongeacht de situatie. Sinds de oprichting van hun verbond, nu bijna een jaar geleden, was er met alle vier het nodige gebeurd.
Met een schok realiseerde Han zich ineens dat het einde van het verbond voor de deur stond. Eigenlijk was het al verbroken. De naam 'Verbond van Vier Vrije Vrouwen' klopte al niet meer nu Carrie opnieuw getrouwd was en straks, na Monica's verhuizing, zou er helemaal niets meer van over zijn. Ze bracht dit onderwerp meteen ter sprake en allemaal werden ze er even stil van. Ja, het was waar wat Han zei. Natuurlijk zouden ze vriendinnen blijven, maar hun verbond als zodanig zou ophouden te bestaan.
„Laten we deze avond dan meteen als afscheid houden," stelde Han nuchter voor, maar Carrie protesteerde daar tegen.
„Hè nee, het moet wel een beetje in stijl, vind ik. En in ieder geval zonder mannen erbij."
Stella en Monica vielen haar meteen bij.
„We hebben het verbond op twaalf januari opgericht, laten we het dan op dezelfde datum beëindigen," vond Monica. „Dat komt dan mooi uit, want de dertiende trouwen wij, dus wordt het meteen mijn vrijgezellenavond."
Iedereen stemde met dit plan in en David en Lex beloofden om op de kinderen te passen.
„Je krijgt zelfs nachtpermissie van me," grinnikte Lex. „Als je lief bent mag je de sleutel meenemen."
„Ja, daar heb jij mazzel mee, jullie zijn al getrouwd," reageerde David quasi-zorgelijk. „Ik heb dan officieel nog niets over Monica te zeggen."
„En dat blijft zo," gooide die daar dreigend tussen.

„Dus het staat vast dat we twaalf januari bij elkaar komen, zonder mannen en kinderen, om het verbond officieel af te sluiten," stelde Carrie vast.
„Bij mij thuis dan, daar zijn we vorig jaar ook begonnen," stelde Monica voor.
„Oké, doen we. Joh, het is al kwart voor twaalf," schrok Han. „Laten we vlug de kinderen wakker maken."
Een kleine tien minuten later zaten ze met zijn allen, een gezelschap van dertien personen, te wachten op het moment dat de klok twaalf slagen liet horen. Toen het zover was klonk er een luid gejuich op, waar vooral de kinderen enthousiast aan deelnamen. Tegelijk met het donderend geraas van het vuurwerk knalde de kurk van de champagnefles en proostten ze met elkaar.
„Op het nieuwe jaar!" riep Han luid. „En Carrie en Lex, op jullie! Dat jullie nog maar lang en gelukkig getrouwd mogen blijven. Gelukkig nieuwjaar!"
„Gelukkig nieuwjaar!" klonk het eensgezind uit alle monden.
Carrie en Lex en Monica en David keken elkaar warm aan. Voor hun vieren begon dit nieuwe jaar wel heel goed.

Het was zover. Vanavond was de laatste avond en afsluiting van het verbond. Met gemengde gevoelens zaten ze bij elkaar. Zoals gewoonlijk was het Han die de stemming erin bracht door te zeggen: „Wat een doodgraversgezichten allemaal, zeg. Stellen jullie je alsjeblieft niet zo aan. Onze vriendschap gaat niet verloren en eigenlijk ons verbond ook niet. We zullen toch altijd voor elkaar klaar blijven staan."
„Je hebt gelijk, maar toch wordt het anders," peinsde Stella. „Vooral nu Monica zover weg gaat. We zullen je missen."
„Stel, ik ga naar Groningen, niet naar Australië," grinnikte die. „Jullie zullen me hier regelmatig zien, reken daar maar op."
„In ieder geval heb je hier genoeg logeeradressen. Dat je daar maar veel gebruik van mag maken," vond Han laconiek.
„Zeker weten. Ik moet jullie nog iets vertellen." Monica keek naar de drie gezichten die afwachtend terugkeken. Samen met David had ze besloten om zijn rol in haar ongeluk te vertellen. Ze vond dat haar vriendinnen daar recht op hadden na alles wat ze voor haar gedaan hadden. Tenslotte was de kans niet denkbeeldig dat

ze het ooit eens van een ander zouden horen en dan zou dat gevoelig aankomen.
In sobere bewoordingen vertelde ze enkele belangrijke gebeurtenissen uit Davids verleden en hoe dat ten slotte geleid had tot haar ongeluk.
„We hebben er uitgebreid over gepraat en voor ons vormt het geen probleem meer. Ik hoop dat jullie er ook zo over denken," besloot ze.
Gespannen wachtte ze de reacties af. Als iemand hem zou veroordelen, was dat het einde van de vriendschap, besefte ze. Tenslotte was David het belangrijkste voor haar en ze wilde hem niet bloot stellen aan kritiek. Ze hoefde echter nergens bang voor te zijn, want alle drie reageerden ze met medeleven op haar verhaal.
„Wat verschrikkelijk voor hem," verwoordde Stella aller gedachten. „Ik heb nooit zo fraai over die dronken chauffeur gedacht, maar daar heb ik nu spijt van."
„Ik heb nooit kunnen begrijpen dat mensen met teveel alcohol op achter het stuur kruipen, maar nu ik dit hoor kan ik me levendig zijn situatie voorstellen," vond Carrie.
Het was Han die de hele zaak relativeerde. „Niet zo overdrijven. Wat David meegemaakt heeft is heel erg, maar hou er rekening mee dat negentig procent van dit soort gevallen willens en wetens gebeurt omdat die lui geen geld over hebben voor een taxi. Ik vind het persoonlijk puur misdadig. Voor David kan ik begrip opbrengen, maar toon nu niet ineens medelijden met alle dronken chauffeurs."
Monica schoot in de lach. „Jij kunt het altijd zo heerlijk zeggen," vond ze. „Je blijft altijd nuchter en realistisch, ik geloof niet dat dat ooit zal veranderen."
„Allicht niet, we hebben nu eenmaal allemaal onze karaktertrekken. Ik ben nuchter, Carrie is zorgzaam, Stella is flexibel en Monica is rustig."
„En toch zijn we allemaal op de een of andere manier veranderd, al blijft ons wezen dan hetzelfde," meende Stella. „Ik hoef alleen mezelf maar als voorbeeld te nemen. Een jaar geleden stond mijn hele leven nog in het teken van Eric. Ik miste hem en koesterde mijn verdriet. Nu sta ik veel sterker en weet ik dat ik het in mijn

eentje ook red, al was het dan geen vrije keus. En een eventuele nieuwe relatie staat me ook niet meer tegen, het hoofdstuk Eric is verwerkt. Ik heb zijn dood en mijn leven geaccepteerd zoals het is."
„Je hebt gelijk, we zijn alle vier door de gebeurtenissen gevormd," knikte Monica. „Persoonlijk heb ik geleerd dat achtergronden in een leven heel belangrijk zijn en dat je niemand zomaar mag veroordelen. Ik kan nu zelfs begrip opbrengen voor het besluit van Koos, zo'n vijf jaar geleden, al ben ik blij dat ik daar niet in meegegaan ben. Kijk niet zo bedenkelijk Han, ook jij hebt een verandering ondergaan."
„O ja? In hoeverre dan? Ik ben me nergens van bewust."
„Je bent rustiger geworden," vond Carrie.
Han grijnsde. „Dat is geen karaktervorming, maar een teken des tijds. Het spook van de volwassenheid heeft eindelijk bij me toegeslagen."
„Dat werd dan tijd," klonk het eenstemmig uit drie verschillende monden. Als uitgelaten tieners schoten ze in de lach. Ondanks het serieuze gespreksonderwerp hing er een ongedwongen, gezellige sfeer.
„Maar ik meen het," hervatte Carrie het gesprek.
„Misschien is dat ook wel zo, maar mijn levensstijl blijft precies hetzelfde. Wim heeft me een tijdje klein gekregen, maar nu ben ik mezelf weer en dat bevalt me prima. Ik mag mezelf wel. Er is maar één van ons vieren echt stevig veranderd, in haar voordeel wel te verstaan. En dat ben jij." Han wees naar Carrie en die bloosde bij dit onverwachte compliment.
„Han heeft gelijk," vielen Stella en Monica haar meteen bij. „Jij hebt jezelf opgewerkt van een zorgelijk huismoedertje tot een vrouw met een sterke persoonlijkheid," zei Monica.
Carrie weerde die lof verlegen af. „Dankzij jullie, anders was het me nooit gelukt en was ik nu waarschijnlijk alcoholiste geweest."
„Onzin, het is je eigen wilskracht die je er bovenop geholpen heeft," zei Han beslist. „Je hebt geen makkelijke tijd gehad, deels door je eigen schuld, maar ik heb bewondering voor de manier waarop je je leven in eigen hand hebt genomen."
„Dank je wel, dat is lief gezegd van je, maar die woorden gelden voor ons allemaal," sprak Carrie. „We hebben stuk voor stuk het

nodige meegemaakt het afgelopen jaar en alle vier zijn we er sterker en zelfbewuster uitgekomen. Maar alles mede dankzij de steun die de anderen steeds gaven."
„Klopt. De oprichting van ons verbond is achteraf een prima idee gebleken. We hebben er alle vier ons voordeel van gehad." Dat was Monica. „En ik weet zeker dat ik altijd bij jullie terechtkan als ik in moeilijkheden zit."
„Daar proosten we op!" riep Han uitgelaten. „Monica, waar is de champagne?"
„Is witte wijn ook goed?" informeerde die laconiek.
„Nou, vooruit. Voor deze keer dan."
Han schonk de glazen vol en plechtig gingen ze erbij staan, de glazen opgeheven in de rechterhand. Vier vrouwen die het nodige meegemaakt hadden, maar het was hun gelukt de problemen te trotseren, omdat ze samen sterk stonden.
„Proost!" klonk het vierstemmig.
Net als een jaar geleden dronken ze de glazen in één teug leeg. Toen was het bedoeld als bevestiging van hun afspraak, nu als teken van vriendschap. Een vriendschap die in de toekomst door verschillende belangen misschien op het tweede plan zou komen, maar die nooit verbroken zou worden. Als het nodig was zouden ze er voor elkaar zijn. Zo was het het afgelopen jaar geweest en zo zou het blijven.